第四十六回　尴尬人难免尴尬事　鸳鸯女誓绝鸳鸯偶

话说黛玉直到四更将阑，方渐渐的睡去，暂且无话。

如今且说凤姐儿因见邢夫人叫他，不知何事，忙另穿戴了一番，坐车过来。邢夫人将房内人遣出，悄向凤姐儿道：『叫你来不为别的，有一件为难的事，老爷托我，我不得主意，先和你商议：老爷因看上了老太太屋里的鸳鸯，要他在房里，叫我和老太太讨去。我想这倒是平常有的事，就是怕老太太不给，你可有法子办这件事么？』（一波未平，一波又起。人生难得开口笑。）凤姐儿听了，忙道：『依我说，竟别碰这个钉子去。老太太离了鸳鸯，饭也吃不下去的，那里就舍得了？况且平日说起闲话来，老太太常说老爷：「如今上了年纪，做什么左一个小老婆右一个小老婆，放在屋里？耽误了人家，放着身子不保养，官儿也不好生做去，成日和小老婆喝酒。」太太听听，很喜欢咱们老爷么？这会子回避还恐回避不及，反倒「拿草棍儿戳老虎的鼻子眼儿去」了。太太别恼，我是不敢去的。明放着不中用，而且反招出没意思来。老爷如今上了年纪，行事不免有点儿背晦，太太劝劝才是。比不得年轻，做这些事无碍。如今兄弟、侄儿、儿子、孙子一大群，还这么闹起来，怎么见人呢？』（凤姐这一段话很是。直言不讳。不可谓不诚不忠。）

邢夫人冷笑道：『大家子三房四妾的也多，偏咱们就使不得？我劝了也未必依。就是老太太心爱的丫头，这么胡子苍白了又做了官的一个大儿子，要了做房里人，也未必好驳回的。我叫了你来，不过商议商议，你先派上了一篇的不是。也有叫你去的理？自然是我说去。你倒说我不劝，你还是不知道那性子的，劝不成，先和我恼了。』（但是邢夫人听不进去。世上竟有这样的浑人，帮助丈夫去『花』。先说是『你可有法子……』，现说是『自然是我说去』，浑人不讲理至此，堪称一绝矣。）

凤姐知道邢夫人禀性愚弱，只知承顺贾赦以自保，次则婪取财货为自得；家下一应大小事务，俱由贾赦摆布，凡出入银钱事，一经他手，便克扣异常，（一应大小事务不管，全力克扣财货，不知是不是『移情』。也是变态心理。）以贾赦浪费为名，『须得我就中俭省，方可偿补』。儿女奴仆，一人不靠，一言不听的。如今又听邢夫人如此的话，便知他又弄左性，劝了不中用，连忙陪笑说道：『太太这话说的极是。我能活了多大，知道什么轻重？（只好退回来，不可谓不智。）想来父母跟前，别说一个丫头，就是那么大的一个活宝贝，不给老爷给谁？背地里的话，那里信的？我竟是个呆子。拿着二爷说起，或有日得了不是，老爷太太恨的那样，恨不得立刻拿来一下子打死；及至见了面，也罢了，依旧拿着老爷太太心爱的东西赏他。如今老太太待老爷，自然也是那样了。依我说，老太太今儿喜欢，要讨，今儿就讨去。我先过去哄着老太太，等太太过去了，我搭赸着走开，把屋子里的人我也带开，太太好和老太太说，给了更好，不给也没妨碍，众人也不得知道。』（顶不住，只有思金蝉脱壳之计。）

邢夫人见他这般说，便又喜欢起来，（白痴才『便又喜欢起来』。）又告诉他道：『我的主意先不和老太太说。老太太说不给，这事便死了；我心里想着先悄悄的和鸳鸯说。他虽害臊，我细细的告诉了他，他自然不言语，就妥了；那时再和老太太说。老太太虽不依，搁不住他愿意。（也有小路可走。本人说通了，主管不好不放。『红』已有之。邢夫人自有百分之百的逻辑与把握。凤姐及时转弯机变，以免己祸。不可谓不灵活。）常言「人去不中留」，自然这就妥了。』

凤姐儿笑道：『到底是太太有智谋；这是千妥万妥。别说是鸳鸯，凭他是谁，那一个不想巴高望上、不想出头的？

放着半个主子不做，倒愿意做丫头，将来配个小子，就完了呢！』邢夫人笑道：『正是这个话了。别说鸳鸯，就是那些执事的大丫头，谁不愿意这样呢？你先过去，别露一点风声，我吃了晚饭就过来。』

凤姐儿暗想：『鸳鸯素昔是个极有心胸识见的丫头，虽如此说，保不严他愿意不愿意。我先过去了，太太后过去，他要依了，便没得话说；倘或不依，太太是多疑的人，只怕疑我走了风声，使他拿腔作势的。那时太太又见应了我的话，羞恼变成怒，拿我出起气来，倒没意思。不如同着一齐过去了，他依也罢，不依也罢，就疑不到我身上了。』（必须设防，不能疏漏毫厘。）想毕，因笑道：『才我临来，舅母那边送了两笼子鹌鹑，我吩咐他们炸了，原要赶太太晚饭上送过来的。我才进大门时，见小子们抬车，说：「太太的车拔了缝，拿去收拾去了。」不如这会子坐了我的车，一齐过去倒好。』邢夫人听了，便命人来换衣服。凤姐忙着伏侍了一回，娘儿两个坐车过来。凤姐儿又说道：『太太过老太太那里去，我若跟了去，老太太若问起我过来做什么的，倒不好；不如太太先去，我脱了衣裳再来。』（自当往后梢。）

邢夫人听了有理，便自往贾母处来和贾母说了一回闲话，便出来，假托往王夫人房里去，从后房门出去，打鸳鸯的卧房门前过，只见鸳鸯正坐在那里做针线，见了邢夫人，站起来。邢夫人笑道：『做什么呢？我看看，你扎的花儿越发好了。』一面说，一面便进来接他手内的针线，看了一看，只管赞好。放下针线，又浑身打量。只见他穿着半新的藕色绫袄，青缎掐牙背心，下面水绿裙子；蜂腰削背，鸭蛋脸，乌油头发，高高的鼻子，两边腮上微微的几点雀瘢。（通过邢夫人代夫择妾的眼光乘机刻画一下肖像。）

鸳鸯见这般看他，自己倒不好意思起来，心里便觉诧异，因笑问道：『太太，这会子不早不晚的过来做什么？』邢夫人使个眼色儿，跟的人退出。邢夫人便坐下，拉着鸳鸯的手，笑道：『我特来给你道喜来的。』鸳鸯听了，心中已猜着三分，不觉红了脸，低了头，不发一言。（鸳鸯虽然只是个未婚少女，在贾家摔打至今，特别是陪贾母出出入入，已经相当成熟老练。）听邢夫人道：『你知道，老爷跟前竟没有个可靠的人，心里再要买一个，又怕那些牙子家出来的，不干不净，也不知道毛病儿，买了来三日两日，又弄鬼掉猴的。因满府里要挑一个家生女儿，又没个好的：不是模样儿不好，就是性子不好；有了这个好处，没了那个好处。因此常冷眼选了半年，这些女孩子里头，就只你是个尖儿：模样儿，行事做人，温柔可靠，一概是齐全的。意思要和老太太讨了你去，收在屋里。你不比外头新买新讨的，你这一进去了，就开了脸，就封你作姨娘，又体面，又尊贵。你又是个要强的人，俗语说的，「金子还是金子换」，谁知竟被老爷看中了。你如今这一来，可遂了素日心高智大的愿了，又堵一堵那些嫌你的人的嘴。跟了我回老太太去！』（倒也雄辩。自以为是对症下药，有的放矢了呢。）说着，拉了他的手就要走。

鸳鸯红了脸，夺手不行。邢夫人知他害臊，便又说道：『这有什么臊处？你又不用说话，只跟着我就是了。』鸳鸯只低头不动身。邢夫人见他这般，便又说道：『难道你还不愿意不成？若果然不愿意，可真是个傻丫头了。放着主子奶奶不做，倒愿意做丫头！三年两年，不过配上个小子，还是奴才。你跟我们去，你知道我的性子又好，又不是那不容人的人，老爷待你们又好。过一年半载，生个一男半女，你就和我并肩了。家里的人，你要使唤谁，谁还不动？现成主子不做去，错过了机会，后悔就迟了。』（牙口再好，逻辑再强，选错了对象。）鸳鸯只管低头，仍是不语。邢夫人又道：『你这么个爽快人，怎么又这样积粘起来？有什么不称心之处，只管说与我；我管保你遂心如意就是了。』鸳鸯仍不语。邢夫人又笑道：『想必你有老子娘，你自己不肯说话，怕臊，你等他们问你呢？这也是理。让我问他们去，叫他们来问你，有话只管告诉他们。』（邢夫人讲得头头是道，想得头头是道，理出必然，鸳鸯只有一万个必从的理，没有分毫不愿的理。可惜的是，她的这些理说服她自己绰绰有余，对于鸳鸯则不起作用。这就叫一厢情愿、自说自话。不可谓不蠢。）说毕，便往凤姐儿房中来。

凤姐儿早换了衣服，因房内无人，便将此话告诉了平儿。平儿也摇头笑道：『据我看来，未必妥当。平常我们背着人说起话来，听他那个主意，未必是肯的。也只说着看罢了。』凤姐儿道：『太太必来这屋里商议；依了还可，要是不依，白讨个没趣儿。当着你们，岂不脸上不好看。你说给他们炸些鹌鹑，再有什么配几样，预备吃饭。你且别处逛逛去，估量着走了，你再来。』（不但要自保，而且要保护亲信，归根到底才能自保。）平儿听说，照样传与婆子们，便逍遥自在的园子里来。

这里鸳鸯见邢夫人去了，必到凤姐房里商议去了，还必定有人来问他的，不如躲了这里，因找了琥珀，道：『老太太要问我，只说我病了，没吃早饭，往园子里逛逛就来。』琥珀答应了。鸳鸯也往园子里来，各处游玩。不想正遇见平儿。平儿见无人，便笑道：『新姨娘来了！』鸳鸯听了，便红了脸，说道：『怪道，你们串通一气来算计我！等着我和你主子闹去就是了。』平儿见鸳鸯满脸恼意，自悔失言，便拉到枫树底下，坐在一块石上，越发把方才凤姐过去回来所有的形景言词，始末原由，告诉于他。（女奴们的关系，有真情也有学

问。）鸳鸯红了脸，向平儿冷笑道：『只是咱们好，比如袭人、琥珀、素云、紫鹃、彩霞、玉钏、麝月、翠墨，跟了史姑娘去的翠缕，死了的可人和金钏，去了的茜雪，连上你我，这十来个人，从小儿什么话儿不说，什么事儿不做？这如今因都大了，各自干各自的去了，我心里仍是照旧，有话有事，并不瞒你们。这话我先放在你心里，且别和二奶奶说：别说大老爷要我做小老婆，就是太太这会子死了，他三媒六聘的娶我去做大老婆，我也不能去！』（干脆把话说绝。）

平儿方欲说话，只听山石背后哈哈的笑道：『好个没脸的丫头，亏你不怕牙碜！』二人听了，不觉吃了一惊，忙起身向山后找寻，不是别个，却是袭人，笑着走了出来。问：『什么事情？告诉我。』说着，三人坐在石上。平儿又把方才的话说与袭人，袭人听了，说道：『这话，论理不该我们说：这个大老爷，真真太好色了！略平头正脸的，他就不能放手了。』平儿道：『你既不愿意，我教你个法儿。』鸳鸯道：『什么法儿？』平儿笑道：『你只和老太太说，就说已经给了琏二爷了，大老爷就不好要了。』（各往自己的主子那边拉，令人作呕！姨娘文化，姨娘心理，又争宠又效忠，又要和其他姨娘纵横捭阖，玩笑中有触目惊心的意味。）鸳鸯啐道：『什么东西！你还说呢！前儿你主子不是这么混说？谁知应到今儿了。』袭人笑道：『他两个都不愿意，依我说，就和老太太说，叫老太太就说把你已经许了宝二爷了；大老爷也就死了心了。』（玩笑中未尝没有试探因素：鸳鸯会不会入自己的主子的『围』？弄清这个，才好磋商献策。）鸳鸯又是气，又是臊，又是急，骂道：『两个坏蹄子，再不得好死的！人家有为难的事，拿着你们当做正经人，告诉你们，与我排解排解，饶不管，你们倒替换着取笑儿。你们自以为都有了结果了，将来都是做姨娘的！据我

看来，天底下的事，未必都那么遂心如意的。你们且收着些儿罢，别忒乐过了头儿！』（这话里有命运的威严，也有『红』的主旨。未必遂心如意，这是格言。）

贾府上下人等，要吃要喝要玩要要胡闹——如珍、琏、蓉、亲戚薛蟠之辈，要娶小老婆，其实贾赦除文化素质低下难以与宝玉比较外，其他享乐纵欲，不比别的男人强，也不比别的男人差。只是这次要到鸳鸯头上，受到本人抵制不算，更使得贾母大怒。贾母怒的自私性也与贾赦难分轩轾，所以尴尬。他在家名为大老爷，实无权无势无威，令人耻笑，所以尴尬。玩弄女性都一样，他老人家年龄太大，被认为是好色了。其实，贾府老少爷们谁不好色？从根本上，是作者以极贬低的语调写他与乃妻，使他处于最讨嫌的位置。比横行霸道有血债的薛蟠、『下作黄子』的秦钟讨嫌得多。鸳鸯讲『收着些儿吧』。也是预兆性的。一有机会，各种人物都要讲。显然，这是曹公的话。

二人见他急了，忙陪笑道：『好姐姐，别多心，咱们从小儿都是亲姊妹一般，不过无人处偶然取个笑儿。你的主意告诉我们知道，也好放心。』鸳鸯道：『什么主意！我只不去就完了。』平儿摇头道：『你不去，未必得干休。大老爷的性子，你是知道的。虽然你是老太太房里的人，此刻不敢把你怎么样，难道你跟老太太一辈子不成？也要出去的。那时落了他的手，倒不好了。』鸳鸯冷笑道：『老太太在一日，我一日不离这里；若是老太太归西去了，他横竖还有三年的孝呢，没个娘才死了，他先弄小老婆的！等过了三年，知道又是怎么个光景儿呢？那时再说。纵到了至急为难，我剪了头发做姑子去，不然，还有一死。一辈子不嫁男人，又怎么样？乐得干净呢！』平儿袭人笑道：『真个这蹄子没了脸，越发信口儿都说出来了！』鸳鸯道：『事到如此，臊一

回子怎么样？你们不信，慢慢的看着就是了！太太才说了，找我老子娘去。我看他南京找去！』平儿道：『你的父母都在南京看房子，没上来，终久也寻的着；现在还有你哥哥嫂子在这里。可惜你是这里的家生女儿，不如我们两个只单在这里。』鸳鸯道：『家生女儿怎么样？「牛不喝水强按头」？我不愿意，难道杀我的老子娘不成！』（在那个时期那个地方，在『红』中牛不喝水强按头的事还少吗？莫非鸳鸯以为她的个人意愿会得到尊重，她的独立人格会得到维护，她能作自己的主？）

正说着，只见他嫂子从那边走来。袭人道：『他们当时找不着你的爹娘，一定和你嫂子说了。』鸳鸯道：『这个娼妇，专管是个「六国贩骆驼」的，听了这话，他有个不奉承去的！』（鸳鸯并不温柔，或者，温柔的人也有牙齿！）说话之间，已来到跟前。他嫂子笑道：『那里没有找到，姑娘跑了这里来！你跟了我来，我和你说话。』平儿袭人都忙让坐。他嫂子只说：『姑娘们请坐，找我们姑娘说句话。』袭人平儿都装不知道，笑说：（『笑说』二字，有些厉害手段。）『什么这么忙？我们这里猜谜儿呢，等猜了这个再去。』鸳鸯道：『什么话？你说罢。』他嫂子笑道：『你跟我来，到那里告诉你，横竖有好话儿。』鸳鸯道：『可是太太和你说的那话？』他嫂子笑道：『姑娘既知道，还奈何我！快来！我细细的告诉你，可是天大的喜事！』

鸳鸯听说，立起身来，照他嫂子脸上下死劲啐了一口，指着骂道：『你快夹着你那秘嘴，离了这里，好多着呢！什么「好话」？又是什么「喜事」？怪道成日家羡慕人家的丫头做了小老婆，一家子都仗着他横行霸道的，一家子都成了小老婆了！看的眼热了，也把我送在火坑里去。（不做小老婆就不是火坑了么？）我若得脸呢，你们外头横行霸道，

自己就封了自己是舅爷；我若不得脸，败了时，你们把忘八脖子一缩，生死由我去！』（嫂子虽然恶俗，并非主凶。鸳鸯对嫂子这样厉害，也是『惹不起锅惹笊篱』而已。刚强者的另一面是泼辣，不泼辣难以维护刚强。能当贾母办主任，必定不是善碴儿。）一面骂，一面哭。平儿袭人拦着劝他。他嫂子脸上下不来，因说道：『愿意不愿意，你也好说，犯不着拉三扯四的。俗语说的好：「当着矮人，别说矮话。」姑娘骂我，我不敢还言；这二位姑娘并没惹着你，「小老婆」长，「小老婆」短，人家脸上怎么过的去？』（嫂子牙口也不软。其实，鸳鸯当着袭、平大骂小老婆，并不妥当，幸亏三人的关系有根基。）袭人平儿忙道：『你倒别说这话，他也并不是说我们，你倒别拉三扯四的。你听见那位太太、太爷们封了我们做小老婆？况且我们两个也没有爹、娘、哥哥、兄弟在这门子里仗着我们横行霸道的。他骂的人自由他骂去，我们犯不着多心！』（归根到底，小老婆也是奴才，是被压迫玩弄的。应该骂的可不是小老婆而是老爷太太老太太。）鸳鸯道：『他见我骂了他，他臊了，没的盖脸，又拿话调唆你们两个。幸亏你们两个明白，原是我急了，也没分别出来，他就挑出这个空儿来。』（心里没病，不受闲言。）他嫂子自觉没趣，赌气去了。

历代读者评者都交口称赞鸳鸯的矢志不嫁的决心。究竟有什么可称道的？自戕而已。『献身』给大老爷与献身给老太太，究竟有什么本质区别？后者之好，不过好在不必『失身』。不失身的献身与失身的献身，并非一个光明一个黑暗。大老爷要占有鸳鸯的身体，但也还报之以某种名义或利益。老太太占有的也是她的人身乃至生命，都是人身占有，人身依附。老太太的占有，她的忠诚，连当姨娘的前途也没有，出路是当尼姑或自杀。不是也很残酷吗？

鸳鸯气的还骂，平儿袭人劝他一回，方罢了。平儿因问袭人道：『你在那里藏着做什么？我们竟没有看见你。』袭人道：『我因为往四姑娘房里看我们宝二爷去的，谁知迟了一步，说是家去了。我疑惑怎么没遇见呢，想要往林姑娘家找去，又遇见他的人，说也没去。我这里正疑惑是出园子去了，可巧你从那里来了。我一闪，你也没看见。后来他又来了，我从这树后头走到山子石后，我却见你两个说话来了，谁知你们四个眼睛没见我……』一语未了，又听身后笑道：『四个眼睛没见你？你们六个眼睛还没见我呢！』三人吓了一跳，回身一看，不是别人，正是宝玉。袭人先笑道：『叫我好找，你在那里来着？』宝玉笑道：『我从四妹妹那里出来，迎头看见你走来了，我就知道是找我去的，我就藏起来了哄你。看你扬着头过去了，进了院子，又出来了，逢人就问，我在那里好笑。只等你到了跟前，吓你一跳的。后来见你也藏藏躲躲的，我就知道也是要哄人了。我探头往前看了一看，却是他们两个，所以我就绕到你身后。你出去，我也躲在你躲的那里了。』（也是预兆？预演？）平儿笑道：『咱们再往后找找去罢，只怕还找出两个人来，也未可知。』宝玉笑道：『这可再没有了。』鸳鸯已知这话俱被宝玉听了，只伏在石头上装睡。宝玉推他笑道：『这石头上冷，咱们回屋里去睡，岂不好？』说着，拉起鸳鸯来。又忙让平儿来家吃茶，和袭人都劝鸳鸯走，鸳鸯方立起身来。四个竟往怡红院来。宝玉将方才的话俱已听见，心中着实替鸳鸯不快，只默默的歪在床上，任他三人在外间说笑。（鸳鸯的拒婚洁癖中，有宝玉心情的折射。）

那边邢夫人因问凤姐儿鸳鸯的父亲，凤姐因说：『他爹的名字叫金彩，两口子都在南京看房子，不大上来。他哥哥文翔现在是老太太那边浆洗上的头儿。』（补叙。）邢夫人便命人叫了他嫂子金文翔的媳妇来，细细说与他。金家媳妇自是喜欢，兴兴头头去找鸳鸯，指望一说必妥；不想被鸳鸯抢白了一顿，又被袭人平儿说了几句，羞恼回来，便对邢夫人说：『不中用，他骂了我一场。』因凤姐儿在旁，不敢提平儿，说：『袭人也帮着抢白我，说了我许多不知好歹的话，回不得主子的。太太和老爷商议再买罢。谅那小蹄子也没有这么大福，我们也没有这么大造化。』邢夫人听了，说道：『又与袭人什么相干？他们如何知道的？』又问：『还有谁在跟前？』金家的道：『还有平姑娘。』凤姐儿忙道：『你不该拿嘴巴子把他打回来？我一出了门子，他就逛去了；回家来，连一个影儿也摸不着他！他必定也帮着说什么来着？』金家的道：『平姑娘倒没在跟前，远远的看着倒像是他，可也不真切。不过是我自忖度。』（凤姐的气势吓住了鸳鸯嫂子。）

凤姐便命人去：『快找了他来，告诉我家来了，太太也在这里，叫他来帮个忙儿！』丰儿忙上来回道：『林姑娘打发了人下请字儿，请了三四次，他才去了；奶奶一进门，我就叫他去的。林姑娘说：「告诉奶奶，我烦他有事呢。」』（都有两下子。凤姐强将手下无弱兵。这套学问书上是学不来的，唯『红』上有记录而已。）凤姐儿听了方罢，故意的还说：『天天烦他！有什么事情？』邢夫人无计，吃了饭回家，晚间告诉了贾赦。贾赦想了一想，即刻叫贾琏来，说：『南京的房子还有人看着，不止一家，即刻叫上金彩来。』贾琏回道：『上次南京信来，金彩已经得了痰迷心窍，（痰迷心窍？果然凑巧，凑趣。）那边连棺材银子都赏了，不知如今是死是活，即便活着，人事不知，叫来无用。他老婆子又是个聋子。』贾赦听了，喝了一声，又骂：『混帐！没天理的囚攮的！偏你这么知道！还不离了我这里！』（记了贾琏一笔账。）唬的贾琏退出。一时又叫传金文翔。贾琏在外书房伺候着，又不敢家去，又不敢见他父亲，只得听着。一时金文翔来了，小么儿们直带入二门里去，隔了四五顿饭的工夫，才出来去了。贾琏暂且不敢打听，隔了一会，又打听贾赦睡了，方才过来。至晚间，凤姐儿告诉他，方才明白。

综观此事，凤姐先谏，谏不成则闪展腾挪，避其锋芒，脱其干系，但求『无尤』，她做得既原则又灵活，既周到又得体，堪称至美至善，无懈可击。即便做得再好，也还是在大老爷、太太那里记了一笔账，难逃挨邢夫人的整的厄运。

且说鸳鸯一夜没睡，至次日，他哥哥回贾母，接他家去逛逛，贾母允了，叫他家去。鸳鸯意欲不去，只怕贾母疑心，只得勉强出来。他哥哥只得将贾赦的话说与他，又许他怎么体面，又怎么当家做姨娘，鸳鸯只咬定牙不愿意。（这是一个悖论：在男权社会，女性要捍卫自己的尊严只有不嫁一法，而不嫁，又戕害了自身的青春、生命、名分。）他哥哥无法，少不得回去回复了贾赦。贾赦怒起来，因说道：『我说与你，叫你女人向他说去，就说我的话：「自古嫦娥爱少年。」他必定嫌我老了，大约他恋着少爷们，多半是看上了宝玉，只怕也有贾琏。若有此心，叫他早早歇了，我要他不来，以后谁敢收他？这是一件。第二件，想着老太太疼他，将来外边聘个正头夫妻去。叫他细想：凭他嫁到了谁家，也难出我的手心；（果然。）除非他死了，或是终身不嫁男人，我就伏了他！若不然时叫他趁早回心转意，有多少好处。』（整个封建社会的根本原则就是人身依附，超经济剥削压迫，君父强按臣子的头。）贾赦说一句，金文翔应一声『是』。贾赦道：『你别哄我，明儿我还打发你太太过去问鸳鸯。你们说了，他不依，便没你们的不是；若问他，他再依了，仔细你们的脑袋！』金文翔忙应了又应，退出回家，也等不得告诉他女人转说，竟自己对面说了这话，把个鸳鸯气的无话可回，想了一想，便说道：『我便愿意去，也须得你们带了我回声老太太去。』（不到最后关头，不能告御状。）他哥嫂只当回想过来，都喜之不尽，他嫂子即刻带了他上来见贾母。

可巧王夫人、薛姨妈、李纨、凤姐儿、宝钗等姊妹并外头的几个执事有头脸的媳妇，都在贾母跟前凑趣儿呢。鸳鸯看见，忙拉了他嫂子，到贾母跟前跪下，（一般小事不能惊动贾母，事情闹大了，再找靠山。这是鸳鸯的成熟处，她不可以恃宠而动不动惊动老太太。这一点最与众不同，最尊严。）一面哭，一面说，把邢夫人怎么来说，园子里嫂子又如何说，今儿他哥哥又如何说，『因为不依，方才大老爷越发说我「恋着宝玉」，不然，要等着往外聘，凭我到天上，这一辈子也跳不出他的手心去，终久要报仇。我是横了心的，当着众人在这里，我这一辈子，别说是宝玉，就是「宝金」「宝银」「宝天王」「宝皇帝」，横竖不嫁人就完了！就是老太太逼着我，一刀子抹死了，也不能从命！伏侍老太太归了西，我也不跟着我老子娘哥哥去，或是寻死，或是剪了头发当姑子去！若说我不是真心，暂且拿话支吾，这不是天地鬼神、日头月亮照着，嗓子里头长疔！』（话说透说亮说狠，中文的表现力万岁！）原来这鸳鸯一进来时，便袖内带了一把剪子，一面说着，一面回手打开头发就铰。众婆子丫鬟看见，忙来拉住，已剪下半绺来了。众人看时，幸而他的头发极多，铰的不透，连忙替他挽上。

鸳鸯极刚烈。『红』中少女，极少这种斩钉截铁、铿锵有力之言。作为个人的意志较量，鸳鸯胜利了，值得称道。作为奴才的被侮辱被损害被虐杀的前途，则一点没有改变。鸳鸯的胜利带来的前景其实是阴森森、血淋淋的。痛快一时，再一想，可悲，可怖，可叹。这样的刚烈人物，只能殉葬贾母……呜呼！

贾母听了，气的浑身打战，口内只说：『我通共剩了这么一个可靠的人，他们还要来算计！』因见王夫人在旁，便向王夫人道：『你们原来都是哄我的！外头孝顺，暗地里盘算我。（表面上享福快乐，但贾母有自己的提防与警惕，有自己的性恶论：你们——包括王夫人，可能是外头孝敬而暗地盘算！）有好东西也来要，有好人也来要。剩了这个毛丫头，见我待他好了，你们自然气不过，弄开了他，好摆弄我！』王夫人忙站起来，不敢还一言。薛姨妈见连王夫人怪上，反不好劝的了；李纨一听见鸳鸯这话，早带了姊妹们出去。探春有心的人，想王夫人虽有委屈，如何敢辩；薛姨妈现是亲姊妹，自然也不好辩；宝钗也不便为姨母辩；李纨、凤姐、宝玉一发不敢辩；这正用着女孩儿之时，迎春老实，惜春小，因此，窗外听了一听，便走进来，陪笑向贾母道：『这事与太太什么相干？老太太想一想，也有大伯子的事，小婶子如何知道？』（探春当仁不让。但也经过思忖，不是妄动。）

话未说完，贾母笑道：『可是我老糊涂了！姨太太别笑话我。你这个姐姐，他极孝顺我，不像我那大太太，一味怕老爷，婆婆跟前不过应景儿。可是我委屈了他。』（贾母迁怒出气，圣人之过，日月之蚀，哪儿发的火哪儿平反。也算好样儿的。）薛姨妈只答应『是』，又说：『老太太偏心，多疼小儿子媳妇，也是有的。』贾母道：『不偏心！』因又说：『宝玉，我错怪了你娘，你怎么也不提我，看着你娘受委屈？』宝玉笑道：『我偏着母亲说大爷大娘不成？通共一个不是，我母亲要不认，却推谁去？我倒要认是我的不是，老太太又不信！』（这里的宝玉，深谙人情世故，老到而且超脱。）贾母笑道：『这也有理。你快给你娘跪下，你说：太太别委屈了，老太太有年纪了，看着宝玉罢。』宝玉听了，忙走过来，便跪下要说；王夫人忙笑着拉起他来，说：『快起来，断乎使不得。难道替老太太给我赔不是不成？』宝玉听说，忙站起来。（宝玉也极精通，只如排练过一般。自然可奶奶与母亲疼。）

贾母又笑道：『凤姐儿也不提我！』凤姐笑道：『我倒不派老太太的不是，老太太倒寻上我了？』贾母听了，与众人都笑道：『这可奇了！倒要听听这「不是」。』凤姐道：『谁叫老太太会调理人？调理的水葱儿似的，怎么怨得人要？我幸亏是孙子媳妇，我若是孙子，我早要了，还等到这会子呢！』（化为奉承、玩笑、嘲闹。凤姐最精彩。）贾母笑道：『这倒是我的不是了？』凤姐笑道：『自然是老太太的不是了。』贾母笑道：『这样，我也不要了，你带了去罢。』凤姐儿道：『等着修了这辈子，来生托生男人，我再要罢。』贾母笑道：『你带了去，给琏儿放在屋里，看你那没脸的公公还要不要了！』凤姐儿道：『琏儿不配，就只配我和平儿这一对「烧糊了的卷子」，和他混罢。』（问答应对，神来之笔，话虽不经，凤姐自有主张，并非毫无意思。）说的众人都笑起来了。

丫头回说：『大太太来了。』王夫人忙迎了出去。要知端的，再听下回分解。

也是精彩章节，也是剧烈斗争。凤姐行为，无懈可击。鸳鸯的强势语调，与她的个性有关，也与她的超级奴才地位有关，但她终于将自己逼入了死角。贾赦等的嘴脸，充分暴露了封建主义的丑恶无耻。从某种意义上说，正是一代又一代的贾赦、邢夫人之流，准备了、积累了中国近现代的历史风暴。『红』虽日常琐碎，却令人深思冷战。

第四十七回　呆霸王调情遭苦打　冷郎君惧祸走他乡

话说王夫人听见邢夫人来了，连忙迎了出去。邢夫人犹不知贾母已知鸳鸯之事，正还又来打听信息，进了院门，早有几个婆子悄悄的回了他，他才知道。待要回去，里面已知；又见王夫人接了出来，少不得进来，先与贾母请安。

贾母一声儿不言语。自己也觉得愧悔。凤姐儿早指一事回避了。鸳鸯也自回房去生气。薛姨妈王夫人等恐碍着邢夫人的脸面，也都渐渐退了。邢夫人且不敢出去。（也是『病来如山倒，病去如抽丝』。）

贾母见无人，方说道：『我听见你替你老爷说媒来了。你倒也「三从四德」的。只是这贤惠也太过了！你们如今也是孙子儿子满眼了，你还怕他使性子。我闻得你还由着你老爷的那性儿闹。』（好话可以当坏话说，坏话也可以做好话用，言语之道，神了。）邢夫人满面通红，回道：『我劝过几次不依。老太太还有什么不知道的呢，我也是不得已儿。』（『不得已』云云，讲不过去的。）贾母道：『他逼着你杀人，你也杀去？如今你也想想：你兄弟媳妇，本来老实，又生的多病多痰，上上下下，那不是他操心？你一个媳妇，虽然帮着，也是天天「丢下爬儿弄扫帚」。凡百事情，我如今自己减了，他们两个就有些不到的去处，有鸳鸯那孩子还心细些，我的事情，他还想着一点子；该要的，他就要了来；该添什么，他就趁空儿告诉他们添了。鸳鸯再不这样，他娘儿两个，里头外头，大的小的，那里不忽略一件半件？我如今反倒自己操心去不成？还是天天盘算，和他们要东要西去？（鸳鸯对于贾母二王体制如此重要。）我这屋里，有的没有的，剩了他一个，年纪也大些，我凡做事的脾气性格儿，他还知道些。他二则也还投主子的缘法，他也并不指着我和那位太太要衣裳去，又和那位奶奶要银子去。所以这几年，一应事情，他说什么，从你小婶和你媳妇起，至家下大大小小，没有不信的。（又是一门学问：『亲信学』。）所以不单我得靠，连你小婶、媳妇也都省心。我有了这么个人，就是媳妇、孙子媳妇想不到的，我也不得缺了，也没气可生了。这会子，他去了，你们又弄什么人来我使？（贾母的说法亦极自私，没有一点为鸳鸯着想的念头。）你们就弄他那么个真珠的人来，不会说话也无用。我正要打发人和你老爷说去，他要什么人，我这里有钱，叫他只管一万八千的买去就是；要这个丫头，不能！留下他伏侍我几年，就比他日夜伏侍我尽了孝的一样。（这种说法与贾赦的想法并无区别。这种说法又和开初批评贾赦『孙子儿子满眼』等语调子不同。盖贾母留鸳鸯终身不嫁亦不占理。）你来的也巧，就去说，更妥当了。』说毕，命人来：『请了姨太太你姑娘们来；才高兴说个话儿，怎么又都散了！』

贾母一分析，这起抗婚事件也成了『政治』性的了。原来鸳鸯是老太太的『联络员』，有时候还能『代表』老太太，是主流派不可或缺的一员干将。当然不能归化到靠边站的『在野党』首领贾赦那边去。老太太这样分析的后果只能使邢夫人更加痛恨王夫人与凤姐。她早晚会报这一箭之仇的。

丫头忙答应找去了。众人赶忙的又来。只有薛姨妈向那丫鬟道：『我才来了，又做什么去？你就说我睡了。』那丫头道：『好亲亲的姨太太，姨祖宗！我们老太太生气呢！你老人家不去，没个开交了。只当疼我们罢！你老人家怕走，我背了你老人家去。』（都有苏秦张仪的游说之才。）薛姨妈笑道：『小鬼头儿！你怕些什么！不过骂几句就完了。』说着，只得和这小丫头子走来。贾母忙让坐，又笑道：『咱们斗牌罢？姨太太的牌也生，咱们一处坐着，别叫凤姐儿混了我们去。』薛姨妈笑道：『正是呢！老太太替我看着些儿。就是咱们娘儿四个斗呢，还是添一两个人呢？』王夫人笑道：『可不只四个人。』凤姐儿道：『再添一个人，热闹些。』贾母道：『叫鸳鸯来，叫他在这下手里坐着，姨太太的眼花了，咱们两个的牌，都叫他看着些儿。』凤姐笑了一声，向探春道：『你们知书识字的，倒不学算命？』探春道：『这又奇了，这会子你不打点精神赢老太太几个钱，又想算命？』凤姐儿道：『我正要算算今儿该输多少，我还想赢呢？你瞧瞧，场儿没上，左右都埋伏下了。』（已有考虑，有预谋。）说的贾母薛姨妈都笑起来。

一时鸳鸯来了，便坐在贾母下首。鸳鸯之下，便是凤姐儿。铺下红毡，洗牌告么，五人起牌，斗了一回。鸳鸯见贾母的牌已十成，只等一张二饼，便递了暗号儿与凤姐儿。凤姐儿正该发牌，便故意踌躇了半晌，笑道：『我这一张牌定在姨妈手里扣着呢，我若不发这一张牌，再顶不下来的。』（能不喜欢这样的鸳鸯、这样的凤姐吗？）薛姨妈道：『我手里并没有你的牌。』凤姐儿道：『我回来是要查的。』薛姨妈道：『你只管查。你且发下来，我瞧瞧是张什么。』凤姐儿便送在薛姨妈跟前，薛姨妈一看，是个二饼，便笑道：『我倒不稀罕他，只怕老太太满了。』凤姐听了，忙笑道：『我发错了。』贾母笑的已掷下牌来，说：『你敢拿回去！谁叫你错的不成？』凤姐儿道：『可是我要算一算命呢！这是自己发的，也怨不得人了。』贾母笑道：『可是你自己打着你那嘴，问着你自己才是。』又向薛姨妈笑道：『我不是小气爱赢钱，原是个彩头儿。』（被服侍、被照顾、被哄慰——却也是被愚弄。说不定老太太自己也知道她们在哄慰自己，却乐得接受。莫非要认认真真地寻不自在吗？）薛姨妈笑道：『我们可不是这样想，那里有那样糊涂人，说老太太爱钱呢？』（爱者不爱，不爱者爱。）

凤姐儿正数着钱，听了这话，忙又把钱穿上了，向众人笑道：『够了我的了。竟不为赢钱，单为赢彩头儿。我到底小气，输了就数钱；快收起来罢。』（灵活机动，真切动人。）贾母规矩是鸳鸯代洗牌的，因和薛姨妈说笑，不见鸳鸯动手，贾母道：『你怎么恼了，连牌也不替我洗？』鸳鸯拿起牌来笑道：『奶奶不给钱。』贾母道：『他不给钱，那是他交运了。』便命小丫头子：『把他那一吊钱都拿过来！』小丫头子真就拿了，搁在贾母傍边。凤姐儿笑道：『赏我罢！照数儿给就是了。』（奉承有术。取笑奉承为各种奉承法之一种，妙在使人开心快乐，虽是说过去就完，不可当真，却也是听到耳里，乐在心里，『味道好极了』。）薛姨妈笑道：『果然凤姐儿小器，不过玩儿罢了。』

凤姐儿听说，便站起来，拉住薛姨妈，回头指着贾母素日放钱的一个木箱子，笑道：『姨妈瞧瞧，那个里头不知玩了我多少去了！这一吊钱玩不了半个时辰，那里头的钱就招手儿叫他了。只等把这一吊也叫进去了，牌也不用斗了，老祖宗气也平了，又有正经事差我办去了。』（人不可无趣，凤姐的成功秘诀之一是谈吐举止妙趣横生，而尤能凑趣。）话未说完，引的贾母众人笑个不住。正说着，偏平儿怕钱不够，又送了一吊来。凤姐儿道：『不用放在我跟前，也放在老太太的那一处罢：一齐叫进去，倒省事，不用做两次，叫箱子里的钱费事。』贾母笑的手里的牌撒了一桌子，推着鸳鸯，叫：『快撕他的嘴！』（宠到要撕嘴的程度了！凤姐幸甚。）

平儿依言，放下钱，也笑了一回，方回来。至院门前，遇见贾琏，问他：『太太在那里呢？老爷叫我请过去呢。』平儿忙笑道：『在老太太跟前站了这半日，还没动呢。趁早儿丢开手罢。老太太生了半日气，这会子，亏二奶奶凑了半日的趣儿，才略好了些。』贾琏道：『我过去，只说讨老太太示下，十四往赖大家去不去，好预备轿子的。又请了太太，又凑了趣儿，岂不好。』平儿笑道：『依我说，你竟别过去罢。合家子，连太太宝玉都有了不是，这会子你又填限去了。』（与四十五回衔接。）贾琏道：『已经完了，难道还找补不成？况且与我又无干；二则老爷亲自吩咐我请太太的，这会子我打发了人去，倘或知道了，正没好气呢，指着这个拿我出气罢。』（贾琏夹在当间，

不能得罪主流派，也不能得罪亲老子。实是难受。）说着就走。平儿见他说的有理，也就跟了过来。

贾琏到了堂屋里，便把脚步放轻了，往里间探头，只见邢夫人站在那里。凤姐儿眼尖，先瞧见了，便使眼色儿，不命他进来，又使眼色与邢夫人。邢夫人不便就走，只得倒了一碗茶来，放在贾母跟前。贾母一回身，贾琏不防，便没躲过。贾母便问：『外头是谁？倒像个小子一伸头的是的。』凤姐儿忙起身说：『我也恍惚看见有一个人影儿。』一面说，一面起身出来。贾琏忙进去，陪笑道：『打听老太太十四可出门？好预备轿子。』贾母道：『既这么样，怎么不进来，又做鬼做神的？』（人际关系太复杂，只好做鬼做神。）贾琏陪笑道：『见老太太玩牌，不敢惊动，不过叫媳妇出来问问。』贾母道：『就忙到这一时！等他家去，你问他多少问不得？那一遭儿你这么小心来着？又不知是来做耳报神的，也不知是来做探子的，鬼鬼祟祟，倒吓我一跳。什么好下流种子！你媳妇和我玩牌呢，还有半日的空儿，你家去再和那赵二家的商量治你媳妇去罢。』说着，众人都笑了。鸳鸯笑道：『鲍二家的，老祖宗又拉上赵二家的去。』贾母也笑道：『可是，我那里记得什么「抱」着「背」着的，提起这些事来，不由我不生气。（鲍二家的已死，仍是这些人——包括奴才鸳鸯的嘲笑对象。太无德了。大人物的口误，亦成为高级幽默，常有理的一种。）我进了这门子，做重孙媳妇起，到如今，我也有个重孙子媳妇了，连头带尾五十四年，凭着大惊大险、千奇百怪的事，也经了些，从没经过这些事。还不离了我这里呢！』（一天一天烂下去。）

贾琏一声儿不敢说，忙退了出来。平儿在窗外站着，悄悄笑道：『我说你不听，到底碰在网里了。』正说着，

只见邢夫人也出来。贾琏道：『都是老爷闹的，如今都搁在我和太太身上。』邢夫人道：『我把你这没孝心的种子！人家还替老子死呢，白说了几句，你就抱怨天、抱怨地了。你还不好好的呢，这几日生气，仔细他捶你。』邢夫人道：（挨完贾母的骂又挨邢夫人的骂。）贾琏道：『太太快过去罢，叫我来请了好半日了。』说着，送他母亲出来，过那边去。

邢夫人将方才的话只略说了几句，贾赦无法，又且含愧，自此便告了病，且不敢见贾母，只打发邢夫人及贾琏每日过去请安。只得又各处遣人购求寻觅，终久费了八百两银子，买了一个十七岁女孩子来，名唤嫣红，收在屋里，不在话下。（鸳鸯抗婚事件，至此方告结束。余波袅袅，极有韵味。）

这里斗了半日牌，吃晚饭才罢。此一二日间无话。（『红』书叙事，照应得如此细密，中外文学史上都极罕见。）

转眼到了十四，黑早，赖大的媳妇又进来请。（承上启下的一个情节，接上赖嬷嬷来请，引出柳湘莲打薛蟠。这样的情节安排极好。『红』是放开手脚写生活而不是来写一个传奇故事的，故结构问题极是难点。）贾母高兴，便带了王夫人薛姨妈及宝玉姊妹等，至赖大花园中坐了半日。那花园虽不及大观园，却也十分齐整宽阔，泉石林木，楼台亭轩，也有好几处动人的。外面大厅上，薛蟠、贾珍、贾琏、贾蓉并几个近族的都来了。那赖大家内，也请了几个现任的官长并几个大家子弟作陪。因其中有个柳湘莲，薛蟠自上次会过了一次，已念念不忘，又打听他最喜串戏，且都串的是生旦风月戏文，不免错会了意，误认他做了风月子弟，正要与他相交，恨没有个引进，这日可巧遇见，乐得无可不可。且贾珍等也慕他的名，酒盖住了脸，就求他串了两出戏。下来，移席和他一处坐着，问长问短，说东说西。

那柳湘莲原系世家子弟，读书不成，父母早丧，素性爽侠，不拘细事，酷好耍枪舞剑，赌博吃酒，以至眠花卧柳，吹笛弹筝，无所不为。因他年纪又轻，生得又美，（『红』中正面人物，无论男女，都有较好的长相，这大概反映了曹氏的直觉好恶，乃至以貌取人的观点。）不知他身分的人，都误认作优伶一类。那赖大之子赖尚荣，与他素昔交好，故今日请来做陪。不想酒后别人犹可，独薛蟠又犯了旧病。心中早已不快，得便意欲走开完事，（世家子弟便不受辱。风月子弟、优伶便可受辱。这种门第观念实不高明。）无奈赖尚荣又说：『方才宝二爷又嘱咐我：才一进门，虽见了，只是人多不好说话，叫我嘱咐你，散的时候别走，他还有话说呢。你既一定要去，等我叫出他来，你两个见了再走，与我无干。』说着，便命小厮们：『到里头，找一个老婆子，悄悄告诉，请出宝二爷来。』那小厮去了，没一杯茶时，果见宝玉出来了。赖尚荣向宝玉笑道：『好叔叔，把他交给你，我张罗人去了。』说着，已经去了。

宝玉便拉了柳湘莲到厅侧书房中坐下，问他：『这几日可到秦钟的坟上去了？』湘莲道：『怎么不去？前日我们几个放鹰去，离他坟上还有二里，我想今年夏天雨水勤，恐怕他的坟站不住，我背着众人走到那里去瞧了一瞧，略又动了一点子；回家来就便弄了几百钱，第三日一早出去，雇了两个人，收拾好了。』宝玉说：『怪道呢。上月我们大观园的池子里头结了莲蓬，我摘了十个，叫焙茗出去，到坟上供他去。回来我也问他：「可被雨冲坏了没有？」他说：「不但没冲，更比上回新了些。」我想着，必是这几个朋友新收拾了。我只恨我天天圈在家里，一点儿做不得主，行动就有人知道，不是这个拦，就是那个劝的，能说不能行。虽然有钱，又不由我使。』柳湘莲道：『这个事也用不着你操心，外头有我，你只心里有了就是了。（柳湘莲到底是个什么行事的？前述赌博吃酒、眠花宿柳……本亦不是什么『正经』人。）眼前十月初一日，我已经打点下上坟的花消。你知道，我一贫如洗，家里是没的积聚的，纵有几个钱来，随手就光的。不如趁空儿留下这一分，省的到了跟前扎煞手。』（『红书主要人物都是大观园至少是贾府以内的，园外府外人物有限，其中贾雨村、刘老老等较易理解，而柳湘莲亦优亦侠亦阔少亦穷光蛋，令人摸不着底。）宝玉道：『我也正为这个，要打发焙茗找你，你又不大在家，知道你天天萍踪浪迹，没个一定的去处。』柳湘莲道：『你也不用找我，这个事也不过各尽其道。眼前我还要出门去走走，外头逛逛，三年五载再回来。』宝玉听了，忙问：『这是为何？』柳湘莲冷笑道：『我的心事，等到跟前，你自然知道。我如今要别过了。』宝玉道：『好容易会着，晚上同散，岂不好？』湘莲道：『你那令姨表兄，还是那样，再坐着，未免有事，不如我回避了倒好。』（宝玉亦有断袖之癖，但他尚知尊重体贴自己的『朋友』，不是薛蟠那副大爷的样子。）宝玉想一想，说道：『既是这么样，倒是回避他为是。只是你要果真远行，必须先告诉我一声，千万别悄悄的去了。』说着，便滴下泪来。（泪滴多了，不免廉价。）

柳湘莲说道：『自然要辞你去，你只别和别人说就是了。』说着，就站起来要走，又道：『你就进去罢，不必送我。』一面说，一面出了书房。刚至大门前，早遇见薛蟠在那里乱叫：『谁放了小柳儿走了？』柳湘莲听了，火星乱迸，恨不得一拳打死；复思酒后挥拳，又碍着赖尚荣的脸面，只得忍了又忍。薛蟠忽见他走出来，如得了珍宝，忙趔趄着走上去，一把拉住，笑道：『我的兄弟！你往那里去了？』湘莲道：『走走就来。』薛蟠笑道：『你一去都没了兴头了，好歹坐一坐，就算疼我了。（过分的亲热，显得肮脏。）凭你什么要紧的事，交给哥哥，只别忙。你有这个哥哥，你要做官发财都容易。』

湘莲见他如此不堪，心中又恨又愧，（这里的『愧』，应作『受辱』解。）早生一计，拉他到避净处，笑道：『你真心和我好，还是假心和我好呢？』薛蟠听见这话，喜得心痒难挠，乜斜着眼，笑道：『好兄弟，你怎么问起我这样话来？我要是假心，立刻死在眼前！』湘莲道：『既如此，这里不便，等坐一坐，我先走，你随后出来，跟到我下处，咱们索性喝一夜酒。我那里还有两个绝好的孩子，从没出门的。你可连一个跟的人也不用带，到了那里，伏侍人都是现成的。』（这么一句谎语，也要说严密。）薛蟠听如此说，喜的酒醒了一半，说：『果然如此？』湘莲笑道：『如何！人拿真心待你，你倒不信了！』薛蟠忙笑道：『我又不是呆子，（你岂不是呆子？）怎么有个不信的呢！既如此，我又不认得，你先去了，我在那里找你？』湘莲道：『我这下处在北门外头，你可舍得家，城外住一夜去？』薛蟠道：『有了你，我还要家做什么？』湘莲道：『既如此，我在北门外头桥上等你。咱们席上且吃酒去。你看我走了之后，你再走，他们就不留神了。』（令人联想起凤姐做圈套令贾瑞上钩。）薛蟠听了，连忙答应道：『是。』二人复又入席，饮了一回。那薛蟠难熬，只拿眼看湘莲，心内越想越乐，左一壶，右一壶，并不用人让，自己便吃了又吃，不觉酒有八九分了。

湘莲便起身出来，瞅人不防，出至门外，命小厮杏奴：『先家去罢，我到城外就来。』说毕，已跨马直出北门，桥上等候薛蟠。一顿饭的工夫，只见薛蟠骑着一匹大马，远远的赶了来，张着嘴，瞪着眼，头似拨浪鼓一般，不住左右乱瞧。（一副呆相。）及至从湘莲马前过去，只顾往远处瞧，不曾留心近处。湘莲又笑又恨，他便也撒马随后跟来。薛蟠往前看时，渐渐人烟稀少，便又圈马回来；再不想一回头见了湘莲，如获奇珍，忙笑道：『我说你是个再不失信的。』湘莲笑道：『快往前走，仔细人看见跟了来，就不好了。』说着，先就撒马前去。薛蟠也就紧紧跟来。

湘莲见前面人烟已稀，且有一带苇塘，便下马，将马拴在树上，向薛蟠笑道：『你下来，咱们先设个誓，日后要变了心，告诉人去的，便应誓。』薛蟠笑道：『这话有理。』连忙下了马，也拴在树上，便跪下说道：『我要日久变心，告诉人去的，天诛地灭……』一言未了，只听『镗』的一声，背后好似铁锤砸下来，只觉得一阵黑，满眼金星乱迸，身不由己，便倒下了。湘莲走上来瞧瞧，知道他是个不惯捱打的，只使了三分气力，向他脸上拍了几下，登时便『开了果子铺』。薛蟠先还要扎挣起身，又被湘莲用脚尖点了一点，仍旧跌倒。口内说道：『原来是两家情愿，你不依，只管好说，为什么哄出我来打我？』（薛蟠此辩并非全无道理，他虽轻薄恶劣，但仅是言语与态度，并无强迫鸡奸之类的强暴行为。柳的反应超出了『正当防卫』的界线。）一面说，一面乱骂。湘莲道：『我把你这瞎了眼的，你认认柳大爷是谁！你不说哀求，你还伤我！我打死你也无益，只给你个利害罢！』说着，便取了马鞭过来，从背后至胫，打了三四十下。（描写打人与挨打不足为奇，难得的是在打与被打中写出二人的声口、性格。）

薛蟠的酒早已醒了大半，不觉得疼痛难禁，不禁有『嗳哟』之声。湘莲冷笑道：『也只如此！我只当你是不怕打的。』一面说，一面又把薛蟠的左腿拉起来，向苇中泞泥处拉了几步，滚的满身泥水，又问道：『你可认得我了？』薛蟠不应，只伏着哼哼。湘莲又掷下鞭子，用拳头向他身上擂了几下，薛蟠便乱滚乱叫，说：『肋条折了！我知道你是正经人，因为我错听了旁人的话了。』湘莲道：『不用拉旁人，你只说现在的。』

薛蟠道：『现在也没什么说的。不过你是个正经人，我错了。』湘莲道：『还要说软些，才饶你。』薛蟠哼哼的道：『好兄弟。』湘莲便又一拳，薛蟠『嗳』了一声，道：『好哥哥。』湘莲又连两拳，薛蟠忙『嗳哟』叫道：『好老爷，饶了我这没眼睛的瞎子罢！从今以后，我敬你怕你了。』（薛蟠这路人只认得拳头。）湘莲道：『你把那水喝两口。』

薛蟠一面听了，一面皱眉道：『这水实在腌臜，怎么喝的下去！』湘莲举拳就打，薛蟠忙道：『我喝……我喝……』说着，只得俯头向苇根下喝了一口，犹未咽下去，只听『哇』的一声，把方才吃的东西都吐了出来。（『文革』中红卫兵有罚『黑帮』喝脏水的，不知是否源出于此。）湘莲道：『好腌臜东西，你快吃完了，饶你。』薛蟠听了，叩头不迭，说：『好歹积阴功饶我罢！这至死不能吃的。』湘莲道：『这样气息，倒熏坏了我！』说着，丢下了薛蟠，便牵马认镫去了。这里薛蟠见他已去，方放下心来，后悔自己不该误认了人。待要扎挣起来，无奈遍体疼痛难禁。

谁知贾珍等席上忽不见了他两个，各处寻找不见。有人说：『恍惚出北门去了。』薛蟠的小厮素日是惧他的，他吩咐了不许跟去，谁敢找去？后来还是贾珍不放心，命贾蓉带着小厮们寻踪问迹的，直找出北门，下桥二里多路，忽见苇坑旁边薛蟠的马拴在那里。众人都道：『好了，有马必有人！』一齐来至马前，只听苇中有人呻吟。大家忙走来一看，只见薛蟠的衣衫零碎，面目肿破，没头没脸，遍身内外，滚的似个泥母猪一般。贾蓉心内已猜着八九了，忙下马命人搀了起来，笑道：『薛大叔天天调情，今日调到苇子坑里，必定是龙王爷也爱上你风流，要你招驸马去，你就碰到龙犄角上了！』（与当初笑贾瑞的声口仿佛。贾蓉实极下作。）薛蟠羞的没地缝儿钻进去，那里爬的上马去？贾蓉命人赶到关厢里雇了一乘小轿子，薛蟠坐了，一齐进城。贾蓉还要抬往赖家去赴席，薛蟠百般苦告，央及他不用告诉人，贾蓉方依允了，让他各自回家。贾蓉仍往赖家回复贾珍并方才的形景。贾珍也知湘莲所打，也笑道：『他须得吃个亏才好！』至晚散了，便来问候。薛蟠自在卧房将养，推病不见。

贾母等回来，各自归家时，薛姨妈与宝钗见香菱哭的眼睛肿了，问起原故，忙来瞧薛蟠时，脸上身上虽见伤痕，并未伤筋动骨。薛姨妈又是心疼，又是发恨，骂一回薛蟠，又骂一回柳湘莲，意欲告诉王夫人，遣人寻拿柳湘莲。宝钗忙劝道：『这不是什么大事，不过他们一处吃酒，酒后反脸常情。谁醉了，多挨几下子打，也是有的。（此话有一定道理。柳湘莲既为赖尚荣相好又搞酒色一套，与他们有共同点。他们的『斗争』有窝里斗性质。）况且咱们家的无法无天，人所共知。妈妈不过是心疼的原故。要出气也容易：等三五天，哥哥好了，出得去的时候，那边珍大爷琏二爷这干人，也未必白丢开了，自然备个东道，叫了那个人来，当着众人替哥哥赔不是认罪就是了。如今妈妈先当件大事，告诉众人，倒显的妈妈偏心溺爱，纵容他生事招人，今儿偶然吃了一次亏，妈妈就这样兴师动众，倚着亲戚之势，欺压常人。』（息事宁人。知止而后有定。）薛姨妈听了道：『我的儿，到底是你想的到，我一时气糊涂了。』宝钗笑道：『这才好呢。他又不怕妈妈，又不听人劝，一天纵似一天，吃过两三个亏，他也罢了。』（任何人有自知理亏的时候，就有救。）

薛蟠睡在炕上，痛骂湘莲，又命小厮去拆他的房子，打死他，和他打官司。薛姨妈喝住小厮们，只说：『柳湘莲一时酒后放肆，如今酒醒，后悔不及，惧罪逃走了。』薛蟠听见如此说了，要知端的，且听下回分解。

无独有偶，鸳鸯抗婚完了，紧接着是湘莲抗『戏』。打一通自然痛快，痛快也只是痛快而已。薛蟠并未汲取应有的教训。毕竟是抗了、打了，贾赦、薛蟠之流，不能为所欲为。两个人的最终下场一个是殉主，一个是遁入空门，反正是没有前途。

宁国荣国，贵妃功臣，老爷少爷，老太太、太太奶奶，仁义道德，四维八纲，能体现出来的也就是陪贾母打牌时作弊哄慰，以尽孝求宠。此外，烂臭脏呆，无恶不作，无丑不有，怎么会到了这步田地！

第四十八回　滥情人情误思游艺　慕雅女雅集苦吟诗

话说薛蟠听见如此说了，气方渐平。三五日后，疼痛虽愈，伤痕未平，只装病在家，愧见亲友。展眼已到十月，因有各铺面伙计内有算年账要回家的，少不得家里治酒饯行。内有一个张德辉，自幼在薛蟠当铺内揽总，家内也有了二三千金的过活，今岁也要回家，明春方来，因说起：『今年纸札香料短少，明年必是贵的。明年先打发大小儿上来，当铺里照管照管，赶端阳前，我顺路就贩些纸札香扇来卖。除去关税花消，亦可以剩得几倍利息。』（官商传统。）薛蟠听了，心下忖度：『如今我挨了打，正难见人，想着要躲避一年半载，又没处去躲，天天装病，也不是事。况且我长了这么大，文不文，武不武，虽说做买卖，究竟戥子、算盘，从没拿过，地土风俗，远近道路，又不知道。不如也打点几个本钱，和张德辉逛一年来。赚钱也罢，不赚钱也罢，且躲躲羞去。二则逛逛山水，也是好的。』（躲羞，逛逛山水，不失为明智的选择。）心内主意已定，至酒席散后，便和气平心与张德辉说知，命他等一二日，一同前往。

晚间薛蟠告诉他母亲，薛姨妈听了，虽是欢喜，但又恐他在外生事，花了本钱倒是末事。因此不叫他去，只说：『你好歹守着我，我还能放心些。况且也不用这买卖，等不着这几百银子用。』薛蟠主意已定，那里肯依。只说：『天天又说我不知世务，这个也不知，那个也不学；如今我发狠把那些没要紧的都断了，如今要成人立事，学习买卖，又不准我了，叫我怎么样呢？我又不是个丫头，把我关在家里，何日是个了手？况且那张德辉又是个有年纪的，咱们和他是世家，我同他，怎么得有错？我就有一时半刻不好的去处，他自然说我劝我，就是东西贵贱行情，他是知道的，自然色色问他，何等顺利，倒不叫我去，过两日，我不告诉家里，私自打点了走，明年发了财回来，才知道我呢！』（薛蟠也变得能言善辩了，说明曹氏能言善辩。）说毕，赌气睡觉去了。（薛蟠从商虽另有隐情，不可当真，写得亦极粗略，但也多少透露一点这些人家的经济活动。）

薛姨妈听他如此说，因和宝钗商议。宝钗笑道：『哥哥果然要经历正事，倒也罢了；只是他在家里说着好听，到了外头，旧病复发，难拘束他了，但也愁不得许多。他若是真改了，是他一生的福，若不改，妈妈也不能又有别的法子。一半尽人力，一半听天罢了。这么大人了，若只管怕他不知世路，出不得门，干不得事，今年关在家里，明年还是这个样儿。他既说的名正言顺，妈妈就打量着丢了一千、八百银子，竟交与他试一试。（让他出去锻炼。）横竖有伙计帮着他，也未必好意思哄骗他的。二则他出去了，左右没了助兴的人，又没有倚仗的人，到了外头，谁还怕谁，有了的吃，没了的饿着，举眼无靠，他见了这样，只怕比在家里省了事也未可知。』（宝钗金玉良言，极明白，极想得开，莫非生而知之，如何能鞭辟入里至此！）薛姨妈听了，思忖半晌道：『倒是你说的是。花两个钱，叫他学些乖来，也值。』（文学费嘛。）商议已定，一宿无话。

至次日，薛姨妈命人请了张德辉来，在书房中，命薛蟠款待酒饭，自己在后廊下，隔着窗子，千言万语嘱托张德辉照管照管。（还是放心不下。）张德辉满口应承，吃过饭告辞，又回说：『十四日是上好出行日期，大世兄即刻打点行李，雇下骡子，十四日一早就长行了。』薛蟠喜之不尽，将此话告诉薛姨妈。薛姨妈便和宝钗香菱并两个年老的嬷嬷，连日打点行装，派下薛蟠之奶公老苍头一名，当年谙事旧仆二名，外有薛蟠随身常使小厮二名：主仆一共六人，雇了三辆大车，单拉行李使物，又雇了四个长行骡子。（谱仍然不小。）薛蟠自骑一匹家内养的铁青大走骡，外备一匹坐马。（好比一辆专车，一辆备用车。）诸事完毕，薛姨妈宝钗等连夜劝戒之言，自不必备说。至十三日，薛蟠先去辞了他母舅，然后过来辞了贾宅诸人，贾珍等未免又有饯行之说，也不必细述。（这顿打没有完全白挨。）至十四日一早，薛姨妈宝钗等直同薛蟠出了仪门，母女两个，四只眼看他去了，方回来。（四只眼云云，饱含期待与忧虑。）

薛姨妈上京带来的家人不过四五房，并两三个老嬷嬷小丫头，今跟了薛蟠一去，外面只剩了一两个男子，因此薛姨妈即日到书房，将一应陈设玩器并帘帐等物，尽行搬了进来收贮，命两个跟去男子之妻，一并也进来睡觉。又命香菱将他屋里也收拾严紧，『将门锁了，晚间和我去睡。』宝钗道：『妈妈既有这些人作伴，不如叫菱姐姐和我作伴去，我们园里又空，夜长了，我每夜做活，越多一个人，岂不越好？』（薛氏母女都以防守姿态出现。）薛姨妈笑道：『正是，我忘了，原该叫他同你去才是。我前日还合你哥哥说：文杏又小，到三不着两的，莺儿一个人，不够伏侍的。还要买一个丫头来你使。』宝钗道：『买的不知底里，倘或走了眼，花了钱事小，没的淘气。倒是慢慢打听着，有知道来历的，买个还罢了。』一面说，一面命香菱收拾了衾褥妆奁，命一个老嬷嬷并臻儿送至蘅芜院去，然后宝钗和香菱才同回园中来。

香菱向宝钗道：『我原要和太太说的，等大爷去了，我和姑娘做伴去。我又恐怕太太多心，说我贪着园里来玩，谁知你竟说了。』宝钗笑道：『我知道你心里羡慕这园子不是一日两日的了，只是没个空儿。就每日来一趟，慌慌张张的，也没趣儿。所以趁着机会，越发住上一年，我也多个做伴的，你也遂了你的心。』（多行方便。与人方便，自己方便。）香菱笑道：『好姑娘！趁着这个工夫，你教给我做诗罢！』宝钗笑道：『我说你「得陇望蜀」呢。我劝你且缓一缓，今儿头一日进来，先出园东角门，从老太太起，各处各人，你都瞧瞧，问候一声儿，也不必特意告诉他们搬进园来。若有提起因由儿的，你只带口说我带了你进来做伴儿就完了。回来进了园，再到各姑娘房里走走。』（适当通报各方，但因香菱『格儿』低，不能太正式。）

香菱应着才要走时，只见平儿忙忙的走来。香菱忙问了好，平儿只得陪笑相问。宝钗因向平儿笑道：『我今儿把他带了来做伴儿，正要回你奶奶一声儿。』平儿笑道：『姑娘说的是那里的话？我竟没话答言了。』宝钗道：『这才是正理。「店房有个主人，庙里有个住持。」虽不是大事，到底告诉一声，就是园里坐更上夜的人，知道添了他两个，也好关门候户的了。你回去就告诉一声罢，我不打发人说去了。』（尊重既有的秩序，不可大意。）平儿答应着，因又向香菱道：『你既来了，也不拜一拜街坊邻舍去？』宝钗笑道：『我正叫他去呢。』平儿道：『你

且不必往我们家去，二爷病了在家里呢。』香菱答应着去了，先从贾母处来，不在话下。

且说平儿见香菱去了，便拉宝钗悄说道：『姑娘可听见我们的新文了？』（『新闻（文）』云云，『红』已有之。）宝钗道：『我没听见新文。因连日打发我哥哥出门，所以你们这里的事，一概不知道；连姊妹们这两天没见。』平儿笑道：『老爷把二爷打了个动不得，难道姑娘就没听见？』宝钗道：『早起恍惚听见了一句，也信不真。（不说听见，也不说没听见——不是孤陋寡闻，不是不关心亲戚，也不是包打听，长舌头。恍惚听见信不真，最佳答话也。）我也正要瞧你奶奶去呢，不想你来。又是为了什么打他？』平儿咬牙骂道：『都是那什么贾雨村，半路途中那里来的饿不死的野杂种！认了不到十年，生了多少事出来。今年春天，老爷不知在那个地方看见几把旧扇子，回家来，看家里所有收着的这些好扇子，都不中用了，立刻叫人各处搜求。谁知就有个不知死的冤家，混号儿都叫他做石头呆子，穷的连饭也没的吃，偏他家就有二十把旧扇子，死也不肯拿出大门来。二爷好容易烦了多少情，见了这个人，说之再三，他把二爷请了到他家里坐着，拿出这扇子来，略瞧了一瞧，据二爷说，原是不能再得的，全是湘妃、棕竹、麋鹿、玉竹的，皆是古人写画真迹。（曹氏还通『扇学』。）回来告诉了老爷，便叫买他的，要多少银子给他多少。（石呆子不该在贾琏跟前显山露水。）偏那石呆子说：「我饿死冻死，一千银子一把，我也不卖。」老爷没法了，天天骂二爷没能为。已经许他五百银子，先兑银子，后拿扇子，他只是不卖，只说：「要扇子先要我的命！」姑娘想想，这有什么法子？谁知那雨村没天理的听见了，便设了法子，讹他拖欠官银，拿他到了衙门里去，说：「所欠官银，变卖家产赔补。」把这扇子抄了来，做了官价，送了来。那石呆子如今不知是死是活。（何等不仁！何等黑暗！）

老爷问着二爷说：「人家怎么弄了来了？」二爷只说了一句：「为这点子小事弄的人家倾家败产，也不算什么能为。」老爷听了就生了气，说二爷拿话堵老爷。（以平儿之口补叙插叙此事。表面上看是扇子问题，实际上贾赦是报讨鸳鸯未得之仇。）因此这是第一件大的。这几日，还有几件小的，我也记不清，所以都凑在一处，就打起来了。也没拉倒用板子棍子，就站着，不知他拿了什么，混打了一顿，脸上打破了两处。我们听见姨太太这里有一种药，上棒疮的，姑娘寻一丸给我呢。」（呼应三十四回宝钗托丸药送宝玉事。）宝钗听了，忙命莺儿去找了两丸来与平儿。宝钗道：「既这样，你去替我问候罢，我就不去了。」平儿向宝钗答应着去了，不在话下。

且说香菱见了众人之后，吃过晚饭，宝钗等都往贾母处去了，自己便往潇湘馆中来。此时黛玉已好了大半了，见香菱也进园来住，自是欢喜。香菱因笑道：「我这一进来了，也得空儿，好歹教给我做诗，就是我的造化了！」（进来先学诗，说明诗的普及性？重要性？香菱的高雅基因？）黛玉笑道：「既要学做诗，你就拜我为师，我虽不通，大略也还教的起你。」香菱笑道：「果然这样，我就拜你为师，你可不许腻烦的。」黛玉道：「什么难事，也值得去学？（『什么难事』云云，既表现黛玉的高才，也表现了一种轻视文学文字的时尚。）不过是起、承、转、合，当中承、转，是两副对子，平声的对仄声，虚的对实的，实的对虚的。若是果有了奇句，连平仄虚实不对都使得的。」香菱笑道：「怪道我常弄本旧诗，偷空儿看一两首，又有对的极工的，又有不对的。又听见说，『一三五不论，二四六分明』。看古人的诗上，亦有顺的，亦有二四六上错了的。所以天天疑惑。如今听你一说，原来这些规矩，竟是没事的，只要词句新奇为上。」黛玉道：「正是这个道理。词句究竟还是末事，第一是立意要紧。若意趣真了，连词句不用修饰，自是好的，这叫做『不以词害意』。」（黛玉论诗，实亦雪芹论诗，特点是平易近人，道理浅近而又颠扑不破，和那种极端膨胀或装神弄鬼的诗论不同。）

香菱笑道：「我只爱陆放翁诗『重帘不卷留香久，古砚微凹聚墨多』。（嫌雕琢了。）说的真切有趣。」黛玉道：「断不可看这样的诗。你们因不知诗，所以见了这浅近的就爱，一入了这个格局，再学不出来的。你只听我说，你若真心要学，我这里有《王摩诘全集》，你且把他的五言律一百首细心揣摩透熟了，然后再读一百二十首老杜的七言律，次之再李青莲的七言绝句读一二百首，肚子里先有了这三个人做了底子，然后再把陶渊明、应、刘、谢、阮、庾、鲍等人的一看，你又是这样一个极聪明伶俐的人，不用一年工夫，不愁不是诗翁了。」（倒是大家路子。和一心追求奇巧的思路大不相同。）香菱听了，笑道：「既这样，好姑娘，你就把这书给我拿出来，我带回去，夜里念几首也是好的。」黛玉听说，便命紫鹃将王右丞的五言律拿来，递与香菱，道：「你只看有红圈的，都是我选的，有一首念一首；不明白的，问你姑娘，或者遇见我，我讲与你就是了。」香菱拿了诗，回至蘅芜院中，诸事不管，只向灯下一首一首的读起来。（与宝钗同住，向黛玉学诗，不也是『钗黛合一』吗？）宝钗连催他数次睡觉，他也不睡。宝钗见他这般苦心，只得随他去了。

一日，黛玉方梳洗完了，只见香菱笑吟吟的送了书来，又要换杜律。黛玉笑道：「共记得多少首？」香菱笑道：「凡红圈选的，我尽读了。」黛玉道：「可领略了些没有？」香菱笑道：「我倒领略了些，只不知是不是，说给你听听。」黛玉笑道：「正要讲究讨论，方能长进。你且说来我听听。」香菱笑道：「据我看来，诗的好处，有口里说不出来的意思，想去却是必真的；有似乎无理的，想去竟是有理有情的。』黛玉笑道：『这话有了些意思，但不知你从何处见得？』香菱笑道：『我看他《塞上》一首，内一联云：「大漠孤烟直，长河落日圆。」（几何美。）想来烟如何直？日自然是圆的。这「直」字似无理，「圆」字似太俗。合上书一想，倒像是见了这景的。若说再找两个字换这两个，竟再找不出两个字来。再还有：「日落江湖白，潮来天地青。」（像印象派的画。）这「白」「青」两个字，也似无理。想来，必得这两个字才形容的尽；念在嘴里，到像有几千斤重的一个橄榄是的。还有：「渡头余落日，墟里上孤烟。」（具有涵盖性、弥漫性。）这「余」字合「上」字，难为他怎么想来！我们那年上京来，那日下晚便挽住船，岸上又没有人，只有几棵树，远远的几家人家作晚饭，那个烟竟是青碧连云。谁知我昨儿晚上看了这两句，倒像我又到了那个地方去了。』

正说着，宝玉和探春来了，都入座听他讲诗。宝玉笑道：『既是这样，也不用看诗，「会心处不在远」，听你说了这两句，可知「三昧」你已得了。』黛玉笑道：『你说他这「上孤烟」好，你还不知他这一句还是套了前人的来。我给你这一句瞧瞧，更比这个淡而现成。』说着，便把陶渊明的『暖暖远人村，依依墟里烟』翻了出来，递与香菱。香菱瞧了，点头叹赏，笑道：『原来「上」字是从「依依」两个字上化出来的！』宝玉大笑道：『你已得了，不用再讲，要再讲，倒学离了。你就做起来，必是好的。』探春笑道：『明儿我补一个柬来，请你入社。』香菱笑道：『姑娘何苦打趣我！我不过是心里羡慕，才学这个玩罢了。』探春黛玉都笑道：『谁不是玩？难道我们是认真做诗呢！若说我们真成了诗，出了这园子，把人的牙还笑掉了呢！』（这里强调的『玩』——玩文学！既有自谦之意，也有超功利之意，更保留了自己参与诗歌活动的弹性和潇洒。做文字而保持一定的游戏心态，在许多情况下是允许的或难免的。当然，也不都是游戏。檄文、悼词……自不可以游戏之心妄做。她们这样说有矜持感。）宝玉道：『这也算自暴自弃了。前日我在外头和相公们商画儿，他们听见咱们起诗社，求我把稿子给他们瞧瞧，我就写了几首给他们看看，谁不是真心叹服？他们抄了刻去了。』探春黛玉忙问道：『这是真话么？』宝玉笑道：『说谎的是那架上鹦哥。』黛玉探春听说，都道：『你真真胡闹！且别说那不成诗，便成诗，我们的笔墨，也不该传到外头去！』宝玉道：『这怕什么？古来闺阁中笔墨不要传出去，如今也没人知道了。』（宝玉思想比女孩子解放些。）

说着，只见惜春打发了入画来请宝玉。宝玉方去了。香菱又逼着换出杜律，又央黛玉探春二人：『出个题目，让我诌去；诌了来，替我改正。』黛玉道：『昨夜的月最好，我正要诌一首，未诌成；你就做一首来。「十四寒」的韵，由你爱用那几个字去。』香菱听了，喜的拿着诗回来，又苦思一回，做两句诗；又舍不得杜诗，又读两首：如此茶饭无心，坐卧不定。宝钗道：『何苦自寻烦恼？都是颦儿引的你，我和他算账去。你本来呆头呆脑的，再添上这个，越发弄成个呆子了。』（呆头呆脑的人正好学诗。如果聪明伶俐如平儿、袭人……岂可做诗？不妨解释为诗者痴也。）香菱笑道：『好姑娘，别混我。』一面说，一面做了一首，先与宝钗看了，笑道：『这个不好，不是这个做法。你别怕臊，只管拿了给他瞧去，看他是怎么说。』香菱听了，便拿了诗找黛玉，黛玉看时，只见写道是：

月桂中天夜色寒，清光皎皎影团团。

诗人助兴常思玩，野客添愁不忍观。

翡翠楼边悬玉镜，珍珠帘外挂冰盘。

良宵何用烧银烛，晴彩辉煌映画栏。（都是表面堆砌。）

黛玉笑道：『意思却有，只是措词不雅；皆因你看的诗少，被他缚住了。把这首诗丢开，再做一首。只管放开胆子去做。』（有『放胆文』之说，亦有放胆诗之论，但此『胆子』又是何时束缚住的呢？）

香菱听了，默默的回来，越发连房也不进去，只在池边树下，或坐在山石上出神，或蹲在地下抠地，来往的人都诧异。李纨、宝钗、探春、宝玉等听得此言，都远远的站在山坡上瞧着他笑。只见他皱一回眉，又自己含笑一回。宝钗笑道：『这个人定是疯了！昨夜嘟嘟哝哝，直闹到五更才睡下；没一顿饭的工夫，天就亮了，我就听见他起来了，忙忙碌碌梳了头，就找颦儿去。一回来了，呆了一日，做了一首又不好，自然这会子另做呢。』宝玉笑道：『这正是「地灵人杰」，老天生人，再不虚赋情性的。我们成日叹说：可惜他这么个人竟俗了，谁知到底有今日！可见天地至公。』（做诗便不俗了。以诗为雅俗界线，倒也有趣。）宝钗听了，笑道：『你能够像他这苦心就好了，学什么有个不成的？』宝玉不答。

只见香菱兴兴头头的，又往黛玉那边来了。探春笑道：『咱们跟了去，看他有些意思没有。』说着，一齐都往潇湘馆来。只见黛玉正拿着诗和他讲究。众人因问黛玉：『做的如何？』黛玉道：『自然算难为他了；只是还不好。这一首过于穿凿了，还得另做。』众人因要诗看时，只见做道是：

非银非水映窗寒，试看晴空护玉盘。

淡淡梅花香欲染，丝丝柳带露初干。

只疑残粉涂金砌，恍若轻霜抹玉栏。

梦醒西楼人迹绝，余容犹可隔帘看。（开始有了『我』的感觉。）

宝钗笑道：『不像吟月了，月字底下添一个「色」字，倒还使得。你看句句倒像是月色。这也罢了，原是诗从胡说来，再迟几天就好了。』香菱自为这首诗妙绝，听如此说，自己又扫了兴，不肯丢开手，便要思索起来。因见他姊妹们说笑，便自己走至阶下竹前，挖心搜胆的，耳不旁听，目不别视。一时探春隔窗笑说道：『菱姑娘，你闲闲罢。』（西谚有『愤怒出诗人』之说，此时的香菱则是『闲空出诗人』。）香菱怔怔答道：『「闲」字是「十五删」的，错了韵了。』众人听了，不觉大笑起来。宝钗道：『可真诗魔了。都是颦儿引的他！』黛玉笑道：『圣人说：「诲人不倦」，他又来问我，我岂有不说的理！』

李纨笑道：『咱们拉了他往四姑娘屋里去，引他瞧瞧画儿，叫他醒一醒才好。』说着，真个出来拉他过藕香榭，至暖香坞中。惜春正乏倦，在床上歪着睡午觉，画缯立在壁间，用纱罩着。众人唤醒了惜春，揭纱看时，十停方有了三停。见画上有几个美人，因指香菱道：『凡会做诗的，都画在上头，你快学罢。』说着，玩笑了一回，各自散去。

香菱满心中正是想诗，至晚间，对灯出了一回神，至三更以后，上床躺下，两眼睁睁直到五更，方才蒙眬睡去了。一时天亮，宝钗醒了，听了一听，他安稳睡了，心下想：『他翻腾了一夜，不知可做成了？这会子乏了，且别叫他。』正想着，只见香菱从梦中笑道：『可是有了，难道这一首还不好？』宝钗听了，又是可叹，又是可笑。连忙唤醒了他，问他：『得了什么？你这诚心，都通了仙了。学不成诗，弄出病来呢！』一面说，一面梳洗了，和姊妹往贾母处来。原来香菱苦志学诗，精血诚聚，日间不能做出，忽于梦中得了八句，梳洗已毕，便忙写出，来到沁芳亭，只见李纨与众姊妹方从王夫人处回来，宝钗正告诉他们，说他梦中做诗，说梦话。（香菱学诗一节很有诗学价值，但在整个『红』中的必要性与含义似不明显。倒是从她身上想起甄士隐来。）众人正笑，抬头见他来了就都争着要诗看。

要知端的，且看下回分解。

『红』中动不动就谈诗做赋。起了调剂、舒缓、间离的作用。作者亦借此一而再再而三地发表诗论，卖弄诗才。香菱很重要，但性格没怎么出来。此回略给人印象，仍然不鲜明透彻。

香菱的性格并不分明，感人的是她的遭际，『平生遭际实堪伤』，令人嗟叹。再往深里想，谁是贵族谁是奴才，不过是偶然事故。客观上，这样的故事与思路能够通向人与人本来平等的先进观念。

第四十九回 琉璃世界白雪红梅 脂粉香娃割腥啖膻

话说香菱见众人正说笑他，便迎上去，笑道：『你们看这首诗。若使得，我便还学；若还不好，我就死了这做诗的心了。』说着，把诗递与黛玉及众人看时，只见写道是：

精华欲掩料应难，影自娟娟魄自寒。
一片砧敲千里白，半轮鸡唱五更残。
绿蓑江上秋闻笛，红袖楼头夜倚栏。
博得嫦娥应自问：何缘不使永团圆？（赋予题材以些许生机，写『活』了就好。『红』中诗都有自况意味。）

众人看了，笑道：『这首不但好，而且新巧有意趣。可知俗语说：「天下无难事，只怕有心人。」社里一定请你了。』香菱听了，心下不信，料着是他们哄自己的话，还只管问黛玉宝钗等。

正说之间，只见几个小丫头并老婆子忙忙的走来，都笑道：『来了好些姑娘奶奶们，我们都不认得，奶奶姑娘们快认亲去。』（喜乐自从天降。）李纨笑道：『这是那里的话？你到底说明白了，是谁的亲戚？』那婆子丫头都笑道：『奶奶的两位妹子都来了；还有一位姑娘，说是薛大姑娘的妹子；还有一位爷，说是薛大爷的兄弟。我这会子请姨太太去呢！奶奶和姑娘们先上去罢！』说着，一径去了。宝钗笑道：『我们薛蝌和他妹子来了不成？』李纨笑道：『或者我婶娘又上京来了，怎么他们都凑在一处？这可是奇事。』（有亲自远方来，不亦乐乎。）

大家来至王夫人上房，只见黑压压的一地。又有邢夫人的嫂子，带了女儿岫烟进京来投邢夫人的，可巧凤姐之兄王仁也正进京，两亲家一处搭帮来了。走至半路泊船时，遇见李纨寡婶，带着两个女儿，长名李纹，次名李绮，也上京，大家叙起来，又是亲戚，因此三家一路同行。后有薛蟠之从弟薛蝌，因当年父亲在京时，已将胞妹薛宝琴许配都中梅翰林之子为婚，正欲进京发嫁，闻得王仁进京，他也随后带了妹子赶来。所以今日会齐了来访投各人亲戚。（一下子来了这么多人，三言两语交代一下，为何这样凑巧，几家人都凑到了一起，则并无解释。这样上人物的办法未必最佳，

（却也有它的真实性。）

于是大家见礼叙过，贾母王夫人都欢喜非常。贾母因笑道：『怪道昨日晚上灯花爆了又爆，结了又结，原来应到今日。』一面叙些家常，收了带来的礼物，一面命留酒饭。凤姐儿自不必说，忙上加忙；李纨宝钗自然和婶母姊妹叙离别之情。黛玉见了，先是欢喜，后想起众人皆有亲眷，独自己孤单无倚，不免又去垂泪。宝玉深知其情，十分劝慰了一番方罢。（不但是无事忙，也还有无事喜、无事愁等等。无厘头与有厘头，都是人生滋味。）

然后宝玉忙忙来至怡红院中，向袭人、麝月、晴雯笑道：『你们还不快着看去！谁知宝姐姐的亲哥哥是那个样子，他这叔伯兄弟，形容举止另是个样子；倒像是宝姐姐的同胞兄弟似的。更奇在你们成日家只说宝姐姐是绝色的人物，你们如今瞧见他这妹子，还有大嫂子的两个妹子，我竟形容不出来了。（『红』最喜捉对写人物，或难分伯仲，或泾渭分明。薛宝钗、薛蟠、薛蝌、薛宝琴四人便互相映照衬托成趣。）老天，老天！你有多少精华灵秀，生出这些人上之人来！可知我『井底之蛙』，成日家只说现在的这几个人是有一无二的；谁知不必远寻，就是本地风光，一个赛似一个。如今我又长了一层学问了。除了这几个，难道还有几个不成？』一面说，一面自笑。袭人见他又有些魔意，便不肯去瞧。晴雯等早去瞧了一遍回来，带笑向袭人说道：『你快瞧瞧去！大太太一个侄女儿，宝姑娘一个妹妹，大奶奶两个妹妹，倒像一把子四根水葱儿。』（这里面倒包含着一种对于人、对于青春的肯定与赞美。天涯何处无芳草？大观园本是相当封闭的，幸有客至，令读者想到园外有园，人外有人，红楼之外又红楼！犹如遐想地球之外还有生命一样，给人一种普泛贯通的『宇宙感』。阅尽红楼，亦不过沧海一粟。）

一语未了，只见探春也笑着进来找宝玉，因说：『咱们诗社可兴旺了。』宝玉笑道：『正是呢。这是一高兴起诗社，鬼使神差来了这些人。但只一件，不知他们可学过做诗不曾？』探春道：『我才都问了问，虽是他们自谦，看其光景，没有不会的。便是不会，也没难处，你看香菱就知道了。』晴雯笑道：『他们里头，薛大姑娘的妹妹更好。三姑娘看着怎么样？』探春道：『果然的。据我看来，连他姐姐并这些人总不及他。』袭人听了，又是诧异，又笑道：『这也奇了，还从那里再寻好的去呢？我倒要瞧瞧去。』探春道：『老太太一见了，喜欢的无可不可的，已经逼着咱们太太认了干女孩儿了。老太太要养活，才刚已经定了。』（宝琴一上来就这样红里透紫，性格却不突出，故事亦不重要。有几种可能：一、依雪芹原意，后四十回另有重任。二、凸现薛家的实力。三、表达作者的一种意念：钗黛已令人叹观止矣，但人之精英是不可穷尽的，宝琴后来居上。四、在钗黛湘云之外另写女孩子，作者已力不从心。）宝玉喜的忙问：『这话果然么？』探春道：『我几时说过谎？』又笑道：『老太太有了这个好孙女儿，就忘了你这孙子了。』宝玉笑道：『这倒不妨，原该多疼女孩儿些是正理。明儿十六，咱们可该起社了。』探春道：『林丫头刚起来了，二姐姐又病了，终是七上八下的。』宝玉道：『二姐姐又不大做诗，没有他又何妨？』探春道：『索性等几天，等他们新来的混熟了，咱们邀上他们，岂不好？这会子，大嫂子宝姐姐心里自然没有诗兴的。况且湘云没来，颦儿才好了，人都不合式；不如等着云丫头来了，这几个新的也熟了，颦儿也大好了，大嫂子和宝姐姐心也闲了，香菱诗也长进了：（香菱学诗以后，升了半格。）如此邀一满社，岂不好？咱们两个，如今且往老太太那里去听听，除宝姐姐的妹妹不算外，他一定是在咱们家住定了的。倘或那三个要不在咱们这里住，咱们央告着老太太留下他们，也在园子里住了，咱们岂不多添几个人，越发有趣了。』宝玉听了，喜的眉开眼笑，忙说道：『倒是你明白，我终久是个糊涂心肠，空喜欢了一会子，却想不到这上头。』说着，兄妹两个，一齐往贾母处来。果然王夫人已认了薛宝琴作干女儿，贾母喜欢非常，不命往园中住，晚上跟着贾母一处安寝。薛蝌自向薛蟠书房中住下了。贾母和邢夫人说：『你侄女儿也不必家去了，园里住几天，逛逛再去。』（诸事顺遂，宽松和谐。）

邢夫人兄嫂家中原艰难，这一上京，原仗的是邢夫人与他们治房舍，帮盘缠，听如此说，岂不愿意。邢夫人便将邢岫烟交与凤姐儿。凤姐儿算着园中姊妹多，性情不一，且又不便另设一处，莫若送到迎春一处去，倘日后邢岫烟有些不遂意的事，纵然邢夫人知道了，与自己无干。（对邢夫人颇有防范。说明凤邢关系外松内紧。）从此后，若邢岫烟家去住的日期不算，若在大观园住到一个月上，凤姐儿亦照迎春分例，送一分与岫烟。凤姐儿冷眼战敪岫烟心性行为，竟不像邢夫人及他的父母一样，却是个极温厚可疼的人。（年轻女子总是好的。这是宝玉的总结。）因此凤姐儿反怜他家贫命苦，比别的姊妹多疼他些。邢夫人倒不大理论了。贾母王夫人等因素喜李纨贤惠，且年轻守节，令人敬服，今见他寡婶来了，便不肯叫他外头去住。那婶母虽十分不肯，无奈贾母执意不从，只得带着李纹李绮在稻香村住下了。（大观园房多人少，居住空间大，实是一『花园酒店』。）当下安插既定，谁知忠靖侯史鼎又迁委了外省大员，不日要带家眷去上任，贾母因舍不得湘云，便留下他了，接到家中。原要命凤姐儿另设一处与他住，史湘云执意不肯，只要和宝钗一处住，因此也就罢了。

此时大观园中，比先又热闹了多少：李纨为首，余者迎春、探春、惜春、宝钗、黛玉、湘云、李纹、李绮、宝琴、邢岫烟，再添上凤姐儿和宝玉，一共十三人。（热闹了，便是冷清者的永远的回忆。）叙起年庚，除李纨年纪最长，凤姐儿次之，余者皆不过十五六七岁，大半同年异月，连他们自己也不能记清谁长谁幼；并贾母王夫人及家中婆子丫头也不能细细分清，不过是『姐』『妹』『兄』『弟』四个字，随便乱叫。（又是无差别境界。）

如今香菱正满心满意只想做诗，又不敢十分罗唆宝钗，可巧来了个史湘云，那史湘云极爱说话的，那里禁得香菱又请教他谈诗？越发高了兴，没昼没夜高谈阔论起来。宝钗因笑道：『我实在聒噪的受不得了。一个女孩儿家，只管拿着诗做正经事讲起来，叫有学问的人听了反笑话，说不守本分。一个香菱没闹清，又添上你这个话口袋子，满口里说的是什么：怎么是「杜工部之沉郁，韦苏州之淡雅」，又怎么是「温八叉之绮靡，李义山之隐僻」。（趁机扫瞄诗苑。）痴痴癫癫，那里还像两个女儿家呢？』（宝钗论诗，非不能也，是不为也。宝钗懂诗但又不以诗为本分，亦是一种超越，貌似却是从俗。）说得香菱湘云二人都笑起来。

正说着，只见宝琴来了，披了一领斗篷，金翠辉煌，不知何物。宝钗忙问：『这是那里的？』宝琴笑道：『因下雪珠儿，老太太找了这一件给我的。』香菱上来瞧道：『怪道这么好看，原来是孔雀毛织的。』湘云笑道：『那里是孔雀毛？就是野鸭子头上的毛做的。可见老太太疼你了；这么样疼宝玉，也没给他穿。』宝钗笑道：『真真俗语说的，「各人有各人的缘法」，我也再想不到他这会子来；既来了，又有老太太这么疼他。』湘云道：『你除了在老太太跟前，就在园里；来这两处，只管玩笑吃喝。到了太太屋里，若太太在屋里，只管和太太说笑，多坐一回无妨；若太太不在屋里，你别进去，那屋里人多心坏，都是要咱们的。』（话里又有什么话呢？）说的宝钗、宝琴、香菱、莺儿等都笑了。宝钗笑道：『说你没心却有心，虽然有心，到底嘴太直了。我们这琴儿，今儿你竟认他做亲妹妹罢。』湘云又瞅了宝琴笑道：『这一件衣裳也只配他穿，别人穿了实在不配。』（为何别人不配，都是作者于无从发力处拼命突出宝琴。）

正说着，只见琥珀走来，笑道：『老太太说了：叫宝姑娘别管紧了琴姑娘，他还小呢，让他爱怎么样就由他怎么样，他要什么东西只管要，别多心。』宝钗忙起身答应了，又推宝琴笑道：『你也不知是那里来的这段福气！你倒去罢，仔细我们委屈了你。我就不信，我那些儿不如你。』（自吹自擂也可以成为自嘲，这叫活用。）说话之间，宝玉黛玉进来了，宝钗犹自嘲笑。湘云因笑道：『宝姐姐，你这话虽是玩，却有人真心是这样想呢。』琥珀笑道：『真心恼的再没别人，就只是他。』口里说，手指着宝玉。宝钗湘云都笑道：『他倒不是这样人。』琥珀又笑道：『不是他，就是他。』说着，又指黛玉。湘云便不作声。宝钗笑道：『更不是了。我的妹妹和他的妹妹一样，他喜欢的比我还甚呢，他那里还恼？你信云儿混说，他的那嘴有什么正经。』

宝玉素昔深知黛玉有些小性儿，尚不知近日黛玉和宝钗之事，正恐贾母疼宝琴，他心中不自在；今儿湘云如此说了，宝钗又如此答，再审度黛玉声色，亦不似往日，果然与宝钗之说相符，心中甚是不解。（黛玉此次并未『小性』，一方面是由于宝钗『做了工作』，赢得了黛玉的信任与友谊，更重要的是，黛玉对宝玉的『心』已较有了底。）因想：『他两个素日不是这样的；如今看来，竟更比他人好了十倍。』一时又见林黛玉赶着宝琴叫『妹妹』，并不提名道姓，直似亲姊妹一般。那宝琴年轻心热，且本性聪敏，自幼读书识字，今在贾府住了两日，大概人物已知；又见众姊妹都不是那轻薄脂粉，且又和姐姐皆和气，故也不肯怠慢。其中又见林黛玉是个出类拔萃的，便更与黛玉亲敬异常。宝玉看着，只是暗暗的纳罕。

一时宝钗姊妹往薛姨妈房内去后，湘云往贾母处来，林黛玉回房歇着，宝玉便找了黛玉来，笑道：『我虽看了《西厢记》，也曾有明白的几句说了取笑，你还曾恼过；如今想来，竟有一句不解，我念出来，你讲讲我听。』（并非故意转文或绕弯子，实是一种试探性的问询，一种礼貌。如果对方不愿回答，只表示听不懂即可，不伤面子。）黛玉听了，便知有文章，因笑道：『你念出来我听听。』宝玉笑道：『那「闹简」上有一句说的最好，「是几时孟光接了梁鸿案？」这五个字不过是现成的典，难为他「是几时」三个虚字，问的有趣。是几时接了？你说说我听听。』黛玉听了，禁不住也笑起来，因笑道：『这原问的好。他也问的好，你也问的好。』宝玉道：『先时你只疑我，如今你也没的说了。』黛玉笑道：『谁知他竟真是个好人，我素日只当他藏奸。』（好人被认为是好人，此一难也；坏人被认为是好人，又一难也；好人被认为是坏人，尤其难了。）因把说错了酒令，宝钗怎样说他，连送燕窝，病中所谈之事，细细的告诉宝玉，宝玉方知原故。因笑道：『我说呢，正纳闷「是几时孟光接了梁鸿案」，原来是从「小孩儿家口没遮拦」上就接了案了。』（能这样彼此『交心』，自然好多了。）

黛玉因又说起宝琴来，想起自己没有姊妹，不免又哭了。（黛玉虽仍多悲伤，却不那么挑剔『促狭』了。）宝玉忙劝道：『这又自寻烦恼了。你瞧瞧，今年比旧年越发瘦了。你还不保养，每天好好的，你必是自寻烦恼，哭一会子，才算完了这一天的事。』黛玉拭泪道：『近来我自觉心酸，眼泪却像比旧年少了些的。心里只管酸痛，眼泪却不多。』（眼泪渐少云云虽不经，却极感人。这种想法说法实乃惊人之笔。表达了主观感受而不是客观事物的深刻性与绝对性。）宝玉道：『这是你哭惯了，心里疑惑，岂有眼泪会少的！』

正说着，只见他屋里的小丫头子送了猩猩毡斗篷来，又说：『大奶奶才打发人来说：下了雪，要商议明日请人做诗呢。』一语未了，只见李纨的丫头走来请黛玉。宝玉便邀着黛玉同往稻香村来。黛玉换上掐金挖云红香羊皮小靴，罩了一件大红羽纱面白狐狸皮的鹤氅，系一条青金闪绿双环四合如意绦，上罩了雪帽，二人一齐踏雪行来，只见众姊妹都在那里，都是一色大红猩猩毡与羽毛缎斗篷，独李纨穿一件哆罗呢对襟褂子，薛宝钗穿一件莲青斗纹锦上添花洋线番羓丝的鹤氅。邢岫烟仍是家常旧衣，并没避雨之衣。一时史湘云来了，穿着贾母与他的一件貂鼠脑袋面子、大毛黑灰鼠里子、里外发烧大褂子；头上带着一顶挖云鹅黄片金里大红猩猩毡昭君套，又围着大貂鼠风领。（写自然风光、天气现象，却从人的衣装上写起。上次四十五回写雨，主要写了宝玉的蓑衣与雨中用的灯具，便觉气氛极好。这回写雪，也是先写各人的雪装。简直是冬季时装表演。）黛玉先笑道：『你们瞧瞧，孙行者来了。他一般的拿着雪褂子，故意妆出个小骚达子样儿来。』湘云笑道：『你们瞧我里头打扮的。』一面说，一面脱了褂子，只见他里头穿着一件半新的靠色三厢领袖秋香色盘金五色绣龙窄裉小袖掩衿银鼠短袄，里面短短的一件水红妆缎狐肷褶子，腰里紧紧束着一条蝴蝶结子长穗五色宫绦，脚下也穿着鹿皮小靴，越显得蜂腰猿背，鹤势螂形。（湘云自有特色。）众人都笑道：『偏他只爱打扮成个小子的样儿，原比他打扮女儿更俏丽了些。』

湘云笑道：『快商议做诗！我听听是谁的东家？』李纨道：『我的主意。想来昨儿的正日已自过了，再等正日又太远，可巧又下雪，不如咱们大家凑个社，又给他们接风，又可以做诗。你们意思怎么样？』宝玉先道：『这话很是，只是今日晚了，若到明日晴了，又无趣。』众人都道：『这雪未必晴，纵晴了，这一夜下的也够赏了。』李纨道：『我这里虽然好，又不如芦雪亭好。我已经打发人笼地炕去了，咱们大家拥炉做诗。老太太想来未必高兴。况且咱们小玩意儿，单给凤丫头个信儿就是了。你们每人一两银子就够了，送到我这里来。』（组织创作，联欢活动要收费，这是合理的。）指着香菱、宝琴、李纹、李绮、岫烟：『五个不算外，咱们里头二丫头病了不算，四丫头告了假也不算，你们四分子送了来，我包管五六两银子也尽够了。』宝钗等一齐应诺。因又拟题限韵，李纨笑道：『我心里早已定了，等到了明日临期，横竖知道。』说毕，大家又闲话了一回，方往贾母处来，当日无话。

到了次日一早，宝玉因心里记挂着这事，一夜没好生得睡，天亮了就爬起来，（童心、玩心。）掀起帐子一看，虽然门窗尚掩，只是窗上光辉夺目，心内早踌躇起来，埋怨定是晴了，日光已出。一面忙起来揭起窗屉，从玻璃窗内往外一看，原来不是日光，竟是一夜雪下的将有一尺多厚，天上仍是搓绵扯絮一般。宝玉此时欢喜非常，忙唤起人来，盥漱已毕，只穿一件茄色哆罗呢狐狸皮袄，罩一件海龙小鹰膀褂子，束了腰，披上玉针蓑，带了金藤笠，登上沙棠屐，忙忙的往芦雪亭来。（穿呀穿呀穿不完，吃不完，乐不完，享受不完……而终有完的时候。）出了院门，四顾一望，一股寒香扑鼻，回头一看，却是妙玉那边栊翠庵中有十数枝红梅，如胭脂一般，映着雪色，分外显得精神，好不有趣。（仍然不忘妙玉。）

宝玉便立住，细细的赏玩了一回方走。只见蜂腰板桥上一个人打着伞走来，是李纨打发了请凤姐儿去的人。宝玉来至芦雪亭，只见丫头婆子正在那里扫雪开径。原来这芦雪亭盖在一个傍山临水河滩之上，一带几间茅檐土壁，槿篱竹牖，推窗便可垂钓，四面皆是芦苇掩覆，一条去径，逶迤穿芦度苇过去，便是藕香榭的竹桥了。（遍写大观园四季景物。）众丫头婆子见他披蓑带笠而来，都笑道：『我们才说正少一个渔翁，如今果然全了。姑娘们吃了饭才来呢，你也太性急了。』宝玉听了，只得回来。刚至沁芳亭，见探春正从秋爽斋出来，围着大红猩猩毡的斗篷，带着观音兜，扶着个小丫头，后面一个妇人打着一把青绸油伞。宝玉知道他往贾母处去，遂立在亭边，等他来到，二人一同出园前去。

宝琴正在里间房内梳洗更衣。一时众姐妹来齐，宝玉只嚷饿了，连连催饭。好容易等摆上饭时，头一样菜是牛乳蒸羊羔，贾母便说：『这是我们有年纪人的药，没见天日的东西，可惜你们小孩子吃不得。今儿另外有新鲜鹿肉，你们等着吃罢。』众人答应了。宝玉却等不得，只拿茶泡了一碗饭，就着野鸡瓜子，忙忙的爬拉完了。（饭食求其珍稀，大有上穷碧落下黄泉、吃尽天下方无憾之野心。）贾母道：『我知道你们今儿又有事情，连饭也不顾吃。』就叫：『留着鹿肉与他晚上吃罢。』凤姐儿忙说：『还有呢，吃残了的倒罢了。』湘云便和宝玉计较道：『有新鲜鹿肉，不如咱们要一块，自己拿了园里弄着，又吃又玩。』宝玉听了，真和凤姐要一块，命婆子送入园去。

一时，大家散后，进园齐往芦雪亭来，听李纨出题限韵。独不见湘云宝玉二人。黛玉道：『他两个再到不得一处；要到了一处，生出多少事来。这会子一定算计那块鹿肉去了。』正说着，只见李婶娘也走来看热闹，因问李纨道：『怎么那一个带玉的哥儿和那一个挂金麒麟的姐儿，那样干净清秀，又不少吃的，他两个在那里商议着要吃生肉呢，说的有来有去的。（要吃生肉，果然有普适性。）我只不信，肉也生吃得的？』众人听了，都笑道：『了不得！快拿他两个来。』黛玉笑道：『这可是云丫头闹的，我的卦再不错。』李纨即忙出来，找着他两个，说道：『你们两个要吃生的，我送你们到老太太那里吃去，那怕一只生鹿，撑病了不与我相干。这么大雪，怪冷的，快替我做诗去罢。』宝玉忙笑道：『没有的事！我们烧着吃呢。』李纨道：『这还罢了。』只见老婆子们拿了铁炉、铁叉、铁丝蒙来，（与今日欧美之BBQ相类。）李纨道：『仔细，割了手不许哭！』说着，方进去了。

那边凤姐打发了平儿回复不能来，为发放年例正忙。湘云见了平儿，那里肯放？平儿也是个好玩的，素日跟着凤姐儿无所不至，见如此有趣，乐得玩笑，因而退去手上的镯子，三个人围着火，平儿便要先烧三块吃。（野餐风味。）那边宝钗黛玉平素看惯了，不以为异；宝琴等及李婶娘深为罕事。探春和李纨等已议定了题韵。探春笑道：『你们闻闻，香气这里都闻见了，我也吃去。』说着，也找了他们来。李纨也随来，说：『客已齐了，你们还吃不够？』湘云一面吃，一面说道：『我吃这个方爱吃酒，吃了酒才有诗。若不是这鹿肉，今儿断不能做诗。』（物质变精神。）说着，只见宝琴披着凫靥裘，站在那里笑。湘云笑道：『傻子！你来尝尝！』宝琴笑道：『怪腌臜的。』宝钗笑道：『你尝尝去，好吃的很呢！你林姐姐弱，吃了不消化，不然，他也爱吃。』宝琴听了，便过去吃了一块，果然好吃，便也吃起来。（读之垂涎。）

一时凤姐儿打发小丫头来叫平儿。平儿说：『史姑娘拉着我呢，你先去罢。』小丫头去了。一时，只见凤姐儿也披了斗篷走来，笑道：『吃这样好东西，也不告诉我！』说着，也凑在一处吃起来。黛玉笑道：『那里找这一群花子去！罢了，罢了！今日芦雪亭遭劫，生生被云丫头作践了。我为芦雪亭一大哭。』湘云冷笑道：『你知道什么！「是真名士自风流」，你们都是假清高，最可厌的。我们这会子腥的膻的大吃大嚼，回来却是锦心绣口。』（回答得好。也叫大雅若俗，却是大土若洋了。）宝钗笑道：『你回来若做的不好了，把那肉掏出来，就把这雪压的芦苇子揌上些，以完此劫！』

说着，吃毕，洗了一回手。平儿带镯子时，却少了一个，左右前后乱找了一番，踪迹全无。（留下一点伏笔，不谐和音。）众人都诧异。凤姐儿笑道：『我知道这镯子的去向。你们只管做诗去，我们也不用找，只管前头去，不出三日，包管就有了。』说着又问：『你们今儿做什么诗？老太太说了，离年又近了，正月里还该做些灯谜儿大家玩笑。』众人听了，都笑道：『可是呢，倒忘了。如今赶着做几个好的，预备着正月里玩。』说着，一齐来至地炕屋内，只见杯盘果菜俱已摆齐了，墙上已贴出诗题、韵脚、格式来了。宝玉湘云二人忙看时，只见题目是：『「即景联句」，五言排律一首，限「二萧」韵。』后面尚未列次序。李纨道：『我不大会做诗，我只起三句罢，然后谁先得了谁先联。』宝钗道：『到底分个次序。』要知端的，且看下回分解。

贾政赴任，薛蟠行商，宝黛定情，钗黛和好，闹了一阵子死了一人以后贾琏凤姐平儿夫妻妾重归于好，鸳鸯处境暂时稳定——天下太平，四海无事。于是有了闲适气氛，于是香菱做诗竟占了多半回。于是天降诗友，大观园掀起文艺娱乐旅游活动的新高潮。大观园再好，那么几个闲人，又写得细细的，令人闷气。干脆上一批新面孔，抬抬人气。写小说之道，与人事组织之道有相通处，稳定性与求变性，必须结合。

第五十回 芦雪亭争联即景诗 暖香坞雅制春灯谜

话说薛宝钗道：『倒底分个次序，让我写出来。』说着，便令众人拈阄为序。起首恰是李氏，然后按次各各开出。凤姐儿道：『既这样说，我也说一句在上头。』众人都笑起来了，说：『这样更妙了。』宝钗将『稻香老农』之上补了一个『凤』字，李纨又将题目讲与他听。

凤姐儿想了半日，笑道：『你们别笑话我，我只有了一句粗话，可是五个字的；下剩的我就不知道了。』众人都笑道：『越是粗话越好。你说了，就只管干正事去罢。』凤姐儿笑道：『想下雪必刮北风，昨夜听见一夜的北风，我有一句，这一句就是「一夜北风紧」。（显然凤姐亦有一定的诗教熏陶。）使得使不得，我就不管了。』众人听说，都相视笑道：『这句虽粗，不见底下的，这正是会作诗的起法，不但好，而且留了写不尽的多少地步与后人。就是这句为首，稻香老农快写上，续下去。』凤姐儿和李婶娘平儿又吃了两杯酒，自去了。

大观园的这些愉快的活动多是偶然灵机一动就搞起来的，正如凤姐的起诗一样。贾府的那些纷争倒都很必然——冰冻三尺，非一日之寒。

这里李纨就写了：

一夜北风紧，

自己联道：

开门雪尚飘。入泥怜洁白，（先从雪与天气写起，联系到风光、年景诸般。）

香菱道：

匝地惜琼瑶。有意荣枯草，

探春道：

无心饰萎苗。价高村酿熟，

李绮道：

年稔府粱饶。葭动灰飞管，

李纹道：

阳回斗转杓。寒山已失翠，

岫烟道：

冻浦不生潮。易挂疏枝柳，

湘云道：

难堆破叶蕉。麝煤融宝鼎，（富贵相渐出。）

宝琴道：

绮袖笼金貂。光守窗前镜，

黛玉道：

香粘壁上椒。斜风仍故故，

宝玉道：

清梦转聊聊。何处梅花笛？（由景及人。）

宝钗道：

谁家碧玉箫。鳌愁坤轴陷，

李纨笑道：『我替你们看热酒去罢。』宝钗命宝琴续联，只见湘云起来道：

龙斗阵云销。野岸回孤棹，

宝琴也联道：

吟鞭指灞桥。赐裘怜抚戍，

湘云那里肯让人？且别人也不如他敏捷，都看他扬眉挺身的说道：（诗的进行正如火车的开行，有一个加速度与对惯性的克服，开始是20、30、40公里/小时，再往后就100、150公里/小时了。）

加絮念征徭。坳垤审夷险，

宝钗连声赞好，也便联道：

枝柯怕动摇。皑皑轻趁步，

黛玉忙联道：

剪剪舞随腰。苦茗成新赏，

一面说，一面推宝玉，命他联。宝玉正看宝琴、宝钗、黛玉三人共战湘云，十分有趣，那里还顾得联诗？今见黛玉推他，方联道：

孤松订久要。泥鸿从印迹，

宝琴接着联道：

林斧或闻樵。伏象千峰凸，

湘云忙联道：

盘蛇一径遥。花缘经冷结，

宝钗与众人又都赞好，探春联道：

色岂畏霜雕。深院惊寒雀，

湘云正渴了，忙忙的吃茶，已被岫烟抢着联道：

空山泣老鸮。阶墀随上下，（冬景体贴得细致。）

湘云忙联道：

清贫怀箪瓢。

宝琴也不容情，也忙道：

烹茶水渐沸，

湘云见这般，自为得趣，又是笑，又忙联道：

煮酒叶难烧。

黛玉也笑道：

没帚山僧扫，（雪也越下越大了，大有埋没一切之势。）

宝琴也笑道：

埋琴稚子挑。

湘云笑弯了腰，忙念了一句，众人问道：『到底说的是什么？』（诗联得越发紧密，文气也越发紧凑了。）湘云道：

石楼闲睡鹤，

黛玉笑得握着胸口，高声嚷道：

锦罽暖亲猫。

宝琴也忙笑道：

月窟翻银浪，

湘云忙联道：

霞城隐赤标。

黛玉忙笑道：

沁梅香可嚼，

宝钗笑称：『好句！』也忙联道：

淋竹醉堪调。

宝琴也忙道：

或湿鸳鸯带，

湘云忙联道：

时凝翡翠翘。（即使有陈陈相因，毕竟还有对于冬雪的观察与感受、铺陈与联想。）

黛玉又忙道：

无风仍脉脉，

宝琴又忙笑联道：

不雨亦潇潇。（无风、不雨句有点凑数。）

湘云伏着，已笑软了。众人看他三人对抢，也都不顾作诗，看着也只是笑。黛玉还推他往下联，又道：『你也有才尽力穷之时。我听听，还有什么舌头嚼了？』湘云只伏在宝钗怀里，笑个不住。宝钗推他起来，道：『你有本事，把「二萧」的韵全用完了，我才服你。』湘云起身笑道：『我也不是作诗，竟是抢命呢！』（人生何处不『抢命』？）众人笑道：『倒是你自己说罢。』探春早已料定没有自己联的了，便早写出来，因说：『还没收住呢。』李纹听了，接过来，便联了一句道：

欲志今朝乐，

李绮收了一句道：

凭诗祝舜尧。（最后归到良民风范。堪称大观园诗歌奥林匹克纪盛。）

李纨道：『够了，够了！虽没作完了韵，腾挪的字，若生扭了，倒不好了。』说着大家来细细评论一回，独湘云的多，都笑道：『这都是那块鹿肉的功劳。』李纨笑道：『逐句评去，却还一气，只是宝玉又落了第了。』宝玉笑道：『我原不会联句，只好担待我罢。』李纨笑道：『也没有社社担待的。又说「韵险」了，又整误了，又「不会联句」，今日必罚你。我才看见栊翠庵的红梅有趣，我要折一枝来插瓶，可厌妙玉为人，我不理他，如今罚你取一枝来，插着玩儿。』众人都道：『这罚的又雅又有趣。』宝玉也乐为，答应着就要走，湘云黛玉一齐说道：『外头冷得很，你且吃杯热酒再去。』于是湘云早执起壶来，黛玉递了一个大杯，满斟了一杯，湘云笑道：『你吃了我们这酒，要取不来，加倍罚你！』宝玉忙吃了一杯，冒雪而去。

李纨命人好好跟着，黛玉忙拦说：『不必，有了人，反不得了。』李纨点头道：『是。』一面命丫鬟将一个美女耸肩瓶拿来，（美女耸肩瓶？已从瓶子的造型中体会到了人体美了么？）贮了水，准备插梅，因又笑道：『回来该吟红梅了。』湘云忙道：『我先作一首。』宝钗笑道：『今日断不容你再作了！你都抢了去，别人都闲着也没趣。回来罚宝玉。他说不会联句，如今就叫他自己做去。』黛玉笑道：『这话很是。我还有主意：方才联句不够，莫若拣那联得少的人作红梅诗。』宝钗笑道：『这话是极。方才邢李三位屈才，且又是客；琴儿和颦儿云儿他们抢了许多，我们一概都别作，只他们三人做才是。』李纨因说：『绮儿也不大会做，还是让琴妹妹罢。』宝钗只得依允。又道：『就用「红梅花」三个字做韵，每人一首七言律：邢大妹妹做「红」字，你们李大妹妹做「梅」字，琴儿做「花」字。』李纨道：『饶过宝玉去，我不服。』湘云忙道：『有个好题目命他做。』众人问：『何题？』湘云道：『命他就做「访妙玉乞红梅」，岂不有趣？』众人听了，都说：『有趣。』（大观园青年联欢，妙玉并未完全置身局外。有了自妙玉处乞梅一节，增加了此回的层次感、纵深感。）

一语未了，只见宝玉笑欣欣擎了一枝红梅进来。众丫鬟忙已接过，插入瓶内。众人都过来赏玩。宝玉笑道：『你们如今赏罢，也不知费了我多少精神呢！』说着，探春早又递过一钟暖酒来。众丫鬟上来接了蓑笠掸雪，各人房中丫鬟都添送衣服来；袭人也遣人送了半旧的狐腋褂来。李纨命人将那蒸的大芋头盛了一盘，又将朱桔、黄橙、橄榄等物盛了两盘，命人带与袭人去。湘云且告诉宝玉方才的诗题，又催宝玉快做。宝玉道：『好姐姐好妹妹们，让我自己用韵罢，别限韵了。』众人都说：『随你做去罢。』

一面说，一面大家看梅花。原来这一枝梅花只有二尺来高，旁有一枝，纵横而出，约有二三尺长，其间小枝分歧，或如蟠螭，或如僵蚓，或孤削如笔，或密聚如林，真乃花吐胭脂，香欺兰蕙。（锦上添花，美至于斯。）各各称赏。

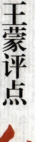

谁知岫烟、李纹、宝琴三人都已吟成，各自写了出来，众人便依『红』『梅』『花』三字之序看去，写道：（诗是内容，也是音韵等形式的游戏。）

赋得红梅花　邢岫烟

桃未芳菲杏未红，冲寒先喜笑东风。
魂飞庾岭春难辨，霞隔罗浮梦未通。
绿萼添妆融宝炬，缟仙扶醉跨残虹。
看来岂是寻常色，浓淡由他冰雪中。

又　李纹

白梅懒赋赋红梅，逞艳先迎醉眼开。
冻脸有痕皆是血，酸心无恨亦成灰。
误吞丹药移真骨，偷下瑶池脱旧胎。
江北江南春灿烂，寄言蜂蝶漫疑猜。

又　宝琴

疏是枝条艳是花，春妆儿女竞奢华。
闲庭曲槛无余雪，流水空山有落霞。
幽梦冷随红袖笛，游仙香泛绛河槎。
前身定是瑶台种，无复相疑色相差。

众人看了，都笑着称赞了一回，又指末一首更好。宝玉见宝琴年纪最小，才又敏捷，黛玉湘云二人斟了一小杯酒，齐贺宝琴。宝钗笑道：『三首各有好处。你们两个天天捉弄厌了我，如今又捉弄他来了。』李纨又问宝玉：『你可有了？』宝玉忙道：『我倒有了，才一看见这三首，又唬忘了，等我再想。』（欲凸现众女孩子之才华，故意压低宝玉。其实，宝玉是聪明的。）湘云听说，便拿了一支铜火箸击着手炉，笑道：『我击了，若鼓绝不成，又要罚的。』宝玉笑道：『我已有了。』黛玉提起笔来，笑道：『你念我写。』湘云便击了一下，笑道：『一鼓绝。』宝玉笑道：『有了，你写罢。』众人听他念道：

酒未开樽句未裁，

黛玉写了，摇头笑道：『起得平平。』湘云又道：『快着！』宝玉笑道：

寻春问腊到蓬莱。

黛玉湘云都点头笑道：『有些意思了。』宝玉又道：

不求大士瓶中露，为乞孀娥槛外梅。

黛玉写了，摇头说：『小巧而已。』湘云将手又敲了一下，宝玉笑道：

入世冷挑红雪去，离尘香割紫云来。

槎枒谁惜诗肩瘦，衣上犹沾佛院苔。（直是写妙玉了。）

黛玉写毕，湘云大家才评论时，只见几个丫鬟跑进来道：『老太太来了！』众人忙迎出来，大家又笑道：『怎么这等高兴！』说着，远远见贾母围了大斗篷，带着灰鼠暖兜，坐着小竹轿，打着青绸油伞，鸳鸯琥珀等五六个丫鬟每人都是打着伞，拥轿而来。李纨等忙往上迎，（青年联欢，不忘尊老敬长。）贾母命人止住，说：『只站在那里就是了。』来至跟前，贾母笑道：『我瞒着你太太和凤丫头来了。大雪地下，我坐着这个无妨，没的叫他娘儿们踩雪。』众人忙一面上前接斗篷，搀扶着，一面答应着。

这是大观园的诗歌艺术节或青年联欢节。也可以叫白雪节。这是一个高潮，一个青春、才华、欢乐的高潮。包括『时装表演』，野餐烤肉，联诗。诗可以『兴、观、群、怨』，也可以玩耍，比赛，尽情发挥。这会留下永远的美好记忆。此后虽仍有游乐，却再也没有这种规模和氛围了。

贾母来至室中，先笑道：『好俊梅花！你们也会乐，我也不饶你们。』说着，李纨早命人拿了一个大狼皮褥子来，铺在当中。贾母坐了，因笑道：『你们只管照旧玩笑吃喝。我因为天短了，不敢睡中觉，抹了一会牌，想起你们来了，我也来凑个趣儿。』李纨早又捧过手炉来。探春另拿了一副杯箸来，亲自斟了暖酒，奉给贾母。贾母便饮了一口，问：『那个盘子是什么东西？』众人忙捧了过来，回说：『是糟鹌鹑。』贾母道：『这倒罢了，撕一点子腿儿来。』李纨忙答应了，要水洗手，亲自来撕。贾母道：『你们仍旧坐下说笑，我听着才喜欢。』又命李纨：『你也只管坐下，就如同我没来的一样才好，不然，我就走了。』众人听了，方才依次坐下，只李纨挪到尽下边。贾母因问：『你们作什么玩呢？』众人便说：『做诗呢。』贾母道：『有做诗的，不如做些灯谜儿，大家正月里好玩。』（联系群众，关心青年，与民同乐。老家长，老祖宗。）众人答应。

说笑了一会，贾母便说：『这里潮湿，你们别久坐，仔细着了凉。倒是你四妹妹那里暖和，我们到那里瞧瞧他的画儿，赶年可能有了不能。』众人笑道：『那里能年下就有了？只怕明年端阳才有呢。』贾母道：『这还了得！他竟比盖这园子还费工夫了。』（依贾母观点，当然盖园子伟大，画园子事小。）说着，仍坐了竹椅轿，大家围随，过了藕香榭，穿入一条夹道，东西两边皆是过街门，门楼上里外都嵌着石头匾，如今进的是西门，向外的匾上凿着『穿云』二字，向里的凿着『度月』两字。来至堂中，进了向南的正门，贾母下了轿，惜春已接了出来。从里面游廊过去，便是惜春卧房，门斗上有『暖香坞』三字，早有几个人打起猩红毡帘，已觉温香拂脸。（取暖已经有术。）大家进入房中，贾母并不归坐，只问惜春：『画到那里了？』惜春因笑回：『天气寒冷了，胶性皆凝涩不润，画了恐不好看，故此收起来了。』贾母笑道：『我年下就要的，你别托懒儿，快拿出来给我快画！』

一语未了，忽见凤姐披着紫羯绒褂笑嘻嘻的来了，口内说道：『老祖宗今儿也不告诉人，私自就来了，叫我好找！』贾母见他来了，心中喜欢，道：『我怕你们冻着了，所以不许人告诉你们去。你真是个鬼灵精儿，到底找了我来。论礼，孝敬也不在这上头。』凤姐儿笑道：『我那里是孝敬的心找了来？我因为到了老祖宗那里，鸦没雀静的，问小丫头子们，他又不肯叫我找到园里来。我正疑惑，忽然又来了两三个姑子，我心里才明白了：那姑子必是来送年疏或要年例香例银子，老祖宗年下的事也多，一定是躲债来了。我赶忙问了那姑子，果然不错。

我连忙把年例给了他们去了。如今来回老祖宗，债主儿已去了，不用躲着了。已预备下稀嫩的野鸡，请用晚饭去罢；再迟一回就老了。』（什么事经过凤姐一说，都变得热闹有趣，也算『语言艺术的大师』或『小师』了吧？）

他一行说，众人一行笑。凤姐儿也不等贾母说话，便命人抬过轿来，贾母笑着挽了凤姐儿的手，仍上了轿，带着众人，说笑出了夹道东门，一看，四面粉妆银砌。忽见宝琴披着凫靥裘，站在山坡背后遥等，身后一个丫鬟，抱着一瓶红梅。众人都笑道：『怪道少了两个，他却在这里等着，也弄梅花去了。』贾母喜的忙笑道：『你们瞧，这雪坡儿上，配上他这个人物儿，又是这件衣裳，后头又是这梅花，像个什么？』众人都笑道：『就像老太太屋里挂的仇十洲画的「艳雪图」。』贾母摇头笑道：『那画的那里有这件衣裳？人也不能这样好！』（拉开一点距离，用老年人的眼光再欣赏一回。）

一语未了，只见宝琴身后又转出一个穿大红猩猩毡的人来。贾母道：『那又是那个女孩儿？』众人笑道：『我们都在这里，那是宝玉。』贾母笑道：『我的眼越发花了。』说话之间，来至跟前，可不是宝玉和宝琴两个！宝玉笑向宝钗黛玉等道：『我才又到了栊翠庵，妙玉竟每人送你们一枝梅花，我已经打发人送去了。』（如何又去了？如何能每人送一枝？妙玉今天心情也特别好么？）众人都笑说：『多谢你费心。』

说话之间，已出了园门，来至贾母房中，吃毕饭，大家又说笑了一回。忽见薛姨妈也来了，说：『好大雪，一日也没过来望候老太太。今日老太太倒不高兴？正该赏雪才是。』贾母笑道：『何曾不高兴了！我找了他们姊妹去玩了一会子。』薛姨妈笑道：『昨日晚上我原想着今日要和我们姨太太借一日园子，摆两桌粗酒，请老太太

赏雪的；又见老太太安息的早，我闻得宝儿说：「老太太心上不大爽。」因此今日也不敢惊动。早知如此，我竟该请了才是呢。』贾母笑道：『这才是十月，是头场雪，往后下雪的日子多着呢，再破费姨太太不迟。』薛姨妈笑道：『果然如此，算我的孝心虔了。』

凤姐儿笑道：『姨妈仔细忘了，如今现秤五十两银子来，交给我收着，一下雪，我就预备下酒：姨妈也不用操心，也不得忘了。』贾母笑道：『既这么说，姨太太给他五十两银子收着，我和他每人分二十五两，到下雪的日子，我装心里不快，混过去了。姨太太更不用操心，我和凤姐倒得实惠。』凤姐将手一拍，笑道：『妙极了！这和我的主意一样。』众人都笑了。贾母笑道：『呸！没脸的，就顺着竿子爬上来了！你不说：姨太太是客，在咱们家受屈，我们该请姨太太才是，那里有破费姨太太的理？不这样说呢，还有脸先要五十两银子，真不害臊！』（这里恰恰可以用毛泽东氏的评论，看看王薛贾史四大家族何等亲密无间！）凤姐笑道：『我们老祖宗最是有眼色的，试一试姨妈：若松呢，拿出五十两来，就和我分；这会子估量着不中用了，翻过来拿我做法子，说出这些大方话来。如今我也不和姨妈要银子了，我竟替姨妈出银子，治了酒，请老太太吃了，我另外再封五十两银子孝敬老祖宗，算是罚我包揽闲事，这可好不好？』（王熙凤的幽默法之一种：把恶俗之语之法说在头里，却不准备去实行。）话未说完，众人已笑倒在炕上。

贾母因又说及宝琴雪下折梅，比画儿上还好；又细问他的年庚八字并家内景况。（老是木石之恋，偶加金玉之缘，是不是也会审美疲劳？无端扯出一个宝琴，大家松快松快。）薛姨妈度其意思，大约是要与他求配。薛姨妈心中因也遂意，

只是已许过梅家了，因贾母尚未说明，自己也不好拟定，遂半吐半露告诉贾母道：『可惜了，这孩子没福！前年他父亲就没了。他从小儿见的世面倒多，跟他父亲四山五岳都走遍了。他父亲好乐的，各处因有买卖，带了家眷，这一省逛一年，明年又到那一省逛半年，所以天下十停走了有五六停了。那年在这里，把他许了梅翰林的儿子，偏第二年他父亲就辞世了。如今他母亲又是痰症。』凤姐儿也不等说完，便嗐声跺脚的说：『偏不巧，我正要做个媒呢，又已经许了人家。』（这里有点声东击西、借题发挥的意思。）贾母笑道：『你要给谁说媒？』凤姐儿笑道：『老祖宗别管。心里看准了，他们两个是一对。如今已许了人，说也无益，不如不说罢了。』（凤姐想回避钗黛矛盾乎？另有含义乎？）贾母也知凤姐儿之意，听见已有人家，也就不提了。（似是闲笔、废话。『也就不提了』，实是起于青萍之末。）大家又闲话了一会方散。一宿无话。

次日雪晴。饭后，贾母又吩咐惜春：『不管冷暖，你只画去，赶到年下，十分不能，便罢了。第一要紧把昨儿琴儿和丫头、梅花，照样一笔别错快快添上。』惜春听了，虽是为难的事，只得应了。一时众人都来看他如何画。惜春只是出神。（贾母对美术的要求近乎摄影。无怪惜春为难。贾母是惜春绘画的关心者、督导者，又是干扰者。）李纨因笑向众人道：『让他自己想去，咱们且说话儿。昨儿老太太只叫做灯谜儿，回到家和绮儿纹儿睡不着，我就编了两个《四书》的。他两个每人也编了两个。』

众人听了，都笑道：『这倒该做的。先说了，我们猜猜。』李纨笑道：『「观音未有世家传」，打《四书》一句。』湘云接着就说道：『「在止于至善」。』宝钗笑道：『你也想一想「世家传」三个字的意思再猜。』李纨笑道：『再想。』黛玉笑道：『我猜罢。可是「虽善无征」？』众人都笑道：『这句是了。』李纨又道：『「一池青草草何名」。』湘云又忙道：『这一定是「蒲芦也」。再不是不成？』李纨笑道：『这难为你猜。纹儿的是「水向石边流出冷」，打一古人名。』探春笑着问道：『可是山涛？』李纨道：『是。』李纨又道：『绮儿是个「萤」字，打一个字。』众人猜了半日，宝琴笑道：『这个意思却深，不知可是花草的「花」字？』李绮笑道：『恰是了。』众人道：『萤与花何干？』黛玉笑道：『妙的很！萤可不是草化的？』（一个赛一个地聪明。）众人会意，都笑了，说：『好。』（与这些女儿相比，老王只能算是文盲。）

宝钗道：『这些虽好，不合老太太的意；不如做些浅近的物儿，大家雅俗共赏才好。』众人都道：『也要做些浅近的俗物才是。』湘云想了一想笑道：『我编了一支「点绛唇」，却真是个俗物，你们猜猜。』说着，便念道：

溪壑分离，红尘游戏，真何趣？名利犹虚，后事终难继。（此谜提醒读者：勿忘悲凉。）

众人都不解，想了半日，也有猜是和尚的，也有猜是道士的，也有猜是偶戏人的。宝玉笑了半日道：『都不是。我猜着了，必定是耍的猴儿。』湘云笑道：『正是这个了。』众人道：『前头都好，末后一句怎么样解？』湘云道：『那一个耍的猴儿不是剁了尾巴去的？』众人听了，都笑起来，说：『偏他编个谜儿也是刁钻古怪的。』

李纨道：『昨日姨妈说，琴妹妹见得世面多，走的道路也多，你正该编谜儿。况且你的诗又好，为什么不编几个儿我们猜一猜？』宝琴听了，点头含笑，自去寻思。宝钗也有一个，念道：

镂檀镌梓一层层，岂系良工堆砌成？

虽是半天风雨过，何曾闻得梵铃声？

众人猜时，宝玉也有一个，念道：

天上人间两渺茫，琅玕节过谨堤防。
鸾音鹤信须凝睇，好把唏嘘答上苍。

黛玉也有了一个，念道：

騄駬何劳缚紫绳？驰城逐堑势狰狞。
主人指示风云动，鳌背三山独立名。（联诗快乐而灯谜悲伤。雪芹正如上帝，不能让你一味地快乐下来，不能让你耽于色而忘了『后事终难继』『梵铃』『天上人间两渺茫』……）

探春也有了一个，方欲念时，宝琴走来，笑道：『从小儿所走的地方的古迹不少，我如今拣了十个地方古迹，做了十首「怀古诗」；诗虽粗鄙，却怀往事，又暗隐俗物十件，姐姐们请猜一猜。』众人听了，都说：『这倒巧，何不写出来大家一看？』要知端的，且看下回分解。

没有这样的欢乐，哪儿来的树倒猢狲散的悲伤？喜、悲、聚、散、存、殁、满、亏……法轮常转，一切不过都是一瞬。这一瞬记载在描绘在小说中了，便成就了永恒。我们读『红』，便一次又一次地经验这欢乐的瞬间与悲哀的永远。一次又一次地怀恋这欢乐的瞬间，嗟叹那悲哀和荒芜的终结。

联诗、灯谜、烤鹿肉，这是大观园的白雪节、青年联欢节、诗歌嘉年华、冬节美食节，这是那一代青年的青春万岁！即使受尽摧残，青春仍然瑰丽！

第五十一回 薛小妹新编怀古诗 胡庸医乱用虎狼药

话说众人闻得宝琴将素昔所经过各省内古迹为题，做了十首怀古绝句，内隐十物，皆说：『这自然新巧。』（仅仅有大观园一个景点，未免闷气，现出来个见多识广的宝琴，从面上撸撸。『红楼』的作者对生活的描写细致入微，现再表现一下宽广的见闻。）都争着看时，只见写道是：

赤壁怀古

赤壁沉埋水不流，徒留名姓载空舟。
喧阗一炬悲风冷，无限英魂在内游。

交趾怀古

铜柱金城振纪纲，声传海外播戎羌。
马援自是功劳大，铁笛无烦说子房。

钟山怀古

名利何曾伴汝身，无端被诏出凡尘。
牵连大抵难休绝，莫怨他人嘲笑频。

淮阴怀古

壮士须防恶犬欺，三齐位定盖棺时。
寄言世俗休轻鄙，一饭之恩死也知。

广陵怀古

蝉噪鸦栖转眼过，隋堤风景近如何？
只缘占尽风流号，惹得纷纷口舌多。

桃叶渡怀古

衰草闲花映浅池，桃枝桃叶总分离。
六朝梁栋多如许，小照空悬壁上题。

青冢怀古

黑水茫茫咽不流，冰弦拨尽曲中愁。
汉家制度诚堪笑，樗栎应惭万古羞。

马嵬怀古

寂寞脂痕积汗光，温柔一旦付东洋。
只因遗得风流迹，此日衣裳尚有香。

蒲东寺怀古

小红骨贱一身轻，私掖偷携强撮成。
虽被夫人时吊起，已经勾引彼同行。

梅花观怀古

不在梅边在柳边，个中谁拾画婵娟？
团圆莫忆春香到，一别西风又一年。（这十首诗，作为诗，缺乏个性和原创性。作为谜，不仅谜底不明，含义也费踌躇。有疑。）

众人看了，都称奇妙。宝钗先说道：『前八首都是史鉴上有据的；后二首却无考，我们也不大懂得，不如另做两首为是。』黛玉忙拦道：『这宝姐姐也忒「胶柱鼓瑟」、矫揉造作了。两首虽于史鉴上无考，咱们虽不曾看这些外传，不知底里，难道咱们连两本戏也没见过不成？那三岁的孩子也知道，何况咱们？』探春便道：『这话正是了。』李纨又道：『况且他原走到这个地方的。这两件事虽无考，古往今来，以讹传讹，好事者竟故意的弄出这古迹来以愚人。（现在以讹传讹弄出的古迹更多，倒不一定皆出自敬爱。好事者所为也。何况今日还有开展旅游、促进发展之功，为李纨、薛宝琴所未曾逆料者。）比如那年上京的时节，便是关夫子的坟，倒见了三四处。关夫子一身事业，皆是有据的，如何又有许多的坟？自然是后来人敬爱他生前为人，只怕从这敬爱上穿凿出来，也是有的。及至看《广舆记》上，不止关夫子的坟多，自古来有名望的人，那坟就不少。无考的古迹更多。如今这两首诗虽无考，凡说书唱戏，甚至于求的签上都有。老少男女，俗语口头，人人皆知皆说的。况且又并不是看了《西厢记》《牡丹亭》的词曲，怕看了邪书了。这也无妨，只管留着。』（李纨放宽政策。谜底究竟是什么呢？不说比说了更好。宝琴究竟是个什么角色呢，竟看不明晰。）宝钗听说，方罢了。大家猜了一回，皆不是的。

冬日天短，觉得又是吃晚饭的时候，一齐往前头来吃晚饭。因有人回王夫人说：『袭人的哥哥花自芳，在外头回进来说，他母亲病重了，想他女孩儿。他来求恩典，接袭人家去走走。』王夫人听了，便说：『人家母女一场，岂有不许他去的！』一面就叫了凤姐来告诉了，命他酌量办理。

凤姐儿答应了，回至房中，便命周瑞家的去告诉袭人原故。吩咐周瑞家的：『再将跟着出门的媳妇传一个，你们两个人，再带两个小丫头子，跟了袭人去。分头派四个有年纪跟车的。要一辆大车，你们带着坐；一辆小车，给丫头们坐。』（主流主奴，是利益共同体，也是互助会，又像封闭的会员制的俱乐部。）周瑞家的答应了，才要去，凤姐又道：『那袭人是个省事的，你告诉说我的话：叫他穿几件颜色好衣裳，大大的包一包袱衣裳拿着，包袱也要好好的，手炉也拿好的。临走时，叫他先到这里来我瞧。』周瑞家的答应去了。

半日，果见袭人穿戴了，两个丫头与周瑞家的拿着手炉与衣包。凤姐看袭人头上戴着几枝金钗珠钏，倒也华丽；又看身上穿着桃红百花刻丝银鼠袄，葱绿盘金彩绣绵裙，外面穿着青缎灰鼠褂。凤姐笑道：『这三件衣裳都是老太太的，赏了你，倒是好的；但这褂子太素了些，如今穿着也冷，你该穿一件大毛的。』袭人笑道：『太太就给了这灰鼠的，还有一件银鼠的。说赶年下再给大毛的呢。』（袭人的装备与排场都到了这个份儿上了。）凤姐笑道：『我倒有一件大毛的，我嫌风毛儿出不好了，正要改去，也罢，先给你穿去罢。等年下太太给你做的时节，我再改罢。

只当你还我的一样。』众人都笑道：『奶奶惯会说这话。成年家大手大脚的，替太太不知背地里赔垫了多少东西，真真赔的是说不出来的，那里又和太太算去？偏这会子又说这小气话取笑儿来了。』凤姐儿笑道：『太太那里想的到这些，究竟这又不是正经事。再不照管，也是大家的体面；说不得我自己吃些亏，把众人打扮体统了；宁可我得个好名儿也罢了：一个一个『烧糊了的卷子』似的，人先笑话我，说我当家倒把人弄出个花子来了。』众人听了，都叹说：『谁似奶奶这样圣明！在上体贴太太，在下又疼顾下人。』

凤姐对自己的形象并不是不关心的。她欣赏自己的铁腕，辣腕，无所顾忌——所谓不信阴曹地府，另一方面，她不放过机会改善自己的形象。她确有她的悲哀，她又要要铁腕，又想有所弥补，而且嗟叹自己的不为人知。

一面说，一面只见凤姐命平儿将昨日那件石青刻丝八团天马皮褂子拿出来，与了袭人。（任何管事的人都有这一面，为『上级』『补台』，为下属担待。凤姐也不例外。如果只有巧取豪夺、阳奉阴违、欺上压下的一面，她是难以站住一个月的。）又看包袱，只得一个弹墨花绫水红绸里的夹包袱，里面只见包着两件半旧绵袄与皮褂子。凤姐又命平儿把一个玉色绸里的哆罗呢包袱拿出来，又命包上一件雪褂子。平儿走去拿了出来：一件是半旧大红猩猩毡的，一件是半旧大红羽缎的。袭人道：『一件就当不起了。』平儿笑道：『你拿这猩猩毡的。把这件顺手带出来，叫人给邢大姑娘送去。昨儿那么大雪，人人都穿着不是猩猩毡、就是羽缎的，十来件大红衣裳，映着大雪，好不齐整！只有他穿着那几件旧衣服，越发显的拱肩缩背，好不可怜见的。如今把这件给他罢。』（平儿想得周到，注意弱势人士。）

凤姐笑道：『我的东西，他私自就要给人。我一个还花不够，再添上你提着，更好了！』众人笑道：『这都是奶奶素日孝敬太太，疼爱下人；要是奶奶素日是小气的，只以东西为事，不顾下人的，姑娘那里敢这样？』凤姐笑道：『所以知道我的心的，也就是他还知三分罢了。』（『知三分』已经是评价很高了。可见凤姐也有点『伟大的孤独』。强者常会有此种叹息。口碑云云，常只取一点，难得全貌。凤姐大概知道自己的强悍刻毒的口碑，故而有此叹息。）说着，又嘱咐袭人道：『你妈要好了就罢，要不中用了，只管住下，打发人来回我，我再另打发人给你送铺盖去。可别使他们的铺盖和梳头的家伙。』又吩咐周瑞家的道：『你们自然是知道这里的规矩的，也不用我吩咐了。』（允许奴婢回家探亲，但又在关怀的同时予以严密控制管理，叫做『这里的规矩』，这里也有一个松紧适宜的『度』。）周瑞家的答应：『都知道。我们这去到那里，总叫他们的人回避。若住下，必是另要一两间内房的。』说着，跟了袭人出去，又吩咐小厮预备灯笼，遂坐车往花自芳家来，不在话下。

这里凤姐又将怡红院的嬷嬷唤了两个来，吩咐道：『袭人只怕不来家了。你们素日知道那个大丫头知好歹，派出来在宝玉屋里上夜。你们也好生照管着，别由着宝玉胡闹。』两个嬷嬷答应着去了，一时来回说：『派了晴雯和麝月在屋里，我们四个人原是轮流着带管上夜的。』凤姐听了点头，又说道：『晚上催他早睡，早上催他早起。』老嬷嬷们答应了，自回园去。

一时果有周瑞家的带了信回凤姐，说：『袭人之母业已停床，不能回来。』凤姐回明了王夫人，一面着人往大观园去取他的铺盖妆奁。宝玉看着晴雯麝月二人打点妥当，送去之后，晴雯麝月皆卸罢残妆，脱换过裙袄。晴雯只在熏笼上围坐，麝月笑道：『你今儿别装小姐了，我劝你也动一动儿。』晴雯道：『等你们都去净了，我再动不迟。

有你们一日，我且受用一日。』麝月笑道：『好姐姐，我铺床，你把那穿衣镜的套子放下来，上头的划子划上。你的身量比我高些。』说着，便去与宝玉铺床。晴雯『嗐』了一声，笑道：『人家才坐暖和了，你就来闹。』（袭人暂时退场，晴雯、麝月的戏才演得成。）

此时宝玉正坐着纳闷，想袭人之母不知是死是活，忽听见晴雯如此说，便自己起身出去，放下镜套，划上消息。进来笑道：『你们暖和罢，我都弄完了。』晴雯笑道：『终久暖和不成，我又想起来，汤婆子还没拿来呢。』麝月道：『这难为你想着！他素日又不要汤壶，咱们那熏笼上又暖和，比不得那屋里炕冷，今儿可以不用。』宝玉笑道：『你们两个都在那上头睡了，我这外边没个人，我怪怕的，一夜也睡不着。』晴雯道：『我是在这里睡的，麝月，你叫他往外边睡去。』说话之间，天已二更，麝月早已放下帘幔，移灯炷香，伏侍宝玉卧下，二人方睡。晴雯自在熏笼上，麝月便在暖阁外边。

至三更以后，宝玉睡梦之中，便叫袭人。叫了两声，无人答应，自己醒了，方想起袭人不在家，自己也好笑起来。（宝玉对袭人的感情亦深，这是无法否定的。除既成事实、习惯外，爱情有它的务实性，不仅仅是心灵对着心灵放电火花。）晴雯已醒，因唤麝月道：『连我都醒了，他守在傍边还不知道，真是挺死尸呢？』麝月翻身打个哈什，笑道：『他叫袭人，与我什么相干！』因问：『做什么？』宝玉说：『要吃茶。』麝月忙起来，单穿着红绸小绵袄儿。宝玉道：『披了我的皮袄再去，仔细冷着。』麝月听说，回手便把宝玉披着起来的一件貂颏满襟暖袄披上，下去向盆内洗洗手，先倒了一钟温水，拿了大漱盂，宝玉漱了口，然后才向茶桶上取了茶碗，先用温水过了，向暖壶中倒了半碗茶，递与宝玉吃了；自己也漱了一漱，吃了半碗。晴雯笑道：『好妹妹，也赏我一口儿呢！』麝月笑道：『越发上脸儿了。』晴雯道：『好妹妹，明儿晚上你别动，我伏侍你一夜，如何？』麝月听说，只得也伏侍他漱了口，倒了半碗茶，与他吃了。麝月笑道：『你们两个别睡，说着话儿，我出去走走回来。』晴雯笑道：『外头有个鬼等着呢。』宝玉道：『外头自然有大月亮的。我们说着话，你只管去。』一面说，一面便嗽了两声。

麝月便开了后房门，揭起毡帘一看，果然好月色。晴雯等他出去，便欲唬他玩耍，仗着素日比别人气壮，不畏寒冷，也不披衣，只穿着小袄，便蹑手蹑脚的下了熏笼，随后出来。宝玉劝道：『罢呀，冻着不是玩的！』晴雯只摆手，随后出了屋门，只见月光如水。忽听一阵微风，只觉侵肌透骨，不禁毛骨悚然。（这一段描写清寒彻骨，有一种形而上的意味，有一种神秘感，清凉感，宿命感，乃至恐怖感。）心下自思道：『怪道人说热身子不可被风吹，这一冷果然利害。』（从此患病。这病也患得清幽洁僻，与众不同，如空谷幽兰，空山鸟语。来自『天』，来自自然。）一面正要唬他，只听宝玉在内高声说道：『晴雯出来了！』晴雯忙回身进来，笑道：『那里就唬死了他了？偏你惯会这么蝎蝎螫螫老婆子样儿！』宝玉笑道：『倒不为唬坏了他，头一件你冻着也不好；二则他不防，不免一喊，倘若惊醒了别人，不说咱们是玩意儿，倒反说：「袭人才去了一夜，你们就见神见鬼的。」你来把我这边的被掖一掖罢。』晴雯听说，便上来掖了一掖，伸手进去，就渥一渥。宝玉笑道：『好冷手！我说看冻着。』一面又见晴雯两腮如胭脂一般，用手摸一摸，也觉冰冷。宝玉道：『快进被来渥渥罢。』（亲热，冰凉，两种相反的感觉，使读者悚然，愀然，灿然。）

一语未了，只听『咯噔』的一声门响，麝月慌慌张张的笑着进来，说着笑道：『唬我一跳好的！黑影子里，山子石后头，只见一个人蹲着；我才要叫喊，原来是那个大锦鸡，见了人，一飞飞到亮处来，我才见了。若冒冒失失一嚷，倒闹起人来。』一面说，一面洗手；又笑道：『说晴雯出去了？我怎么没见？一定是要唬我去了。』宝玉笑道：『这不是他？在这里渥着呢！我若不嚷得快，可是倒唬一跳。』晴雯笑道：『也不用我唬去，这小蹄子已经自惊自怪的了。』一面说，一面仍回自己被中去。麝月道：『你就这么「跑解马」的打扮儿，伶伶俐俐的出去了不成？』宝玉笑道：『可不就是这么出去了。』麝月道：『你死不拣好日子！你出去白站一站，把皮不冻破了你的！』说着又将火盆上的铜罩揭起，拿灰锹重将熟炭埋了一埋，拈了两块速香放上，仍旧罩了。至屏后，重剔亮了灯，方才睡下。（有一种神秘感，黑夜感。宝玉、晴雯、麝月，似乎在一叶孤舟之上。这一段令人想起诺亚方舟的故事。袭人有一万个恶德，离了袭人给人以一种失范乃至惶惶然的感觉，莫非恶德对秩序、平衡、运转也是必要的？）

晴雯因方才一冷，如今又一暖，不觉打了两个喷嚏。宝玉叹道：『如何？到底伤了风了。』麝月笑道：『他早起就嚷不受用，一日也没吃碗正经饭，他这会子不说保养着些，还要捉弄人；明儿病了，叫他自作自受的。』宝玉问道：『头上可热？』晴雯嗽了两声，说道：『不相干，那里这么娇嫩起来了！』说着，只听外间房内槅上的自鸣钟『当当』的两声，外间值宿的老嬷嬷嗽了两声，因说道：『姑娘们睡罢，明儿再说笑罢。』宝玉方悄悄的笑道：『咱们别说话了，看又惹他们说话。』说着，方大家睡了。

至次日起来，晴雯果觉有些鼻塞声重，懒怠动弹。宝玉道：『快不要声张！太太知道了，又叫你搬了家去养息。家里纵好，到底冷些，不如在这里。你就在里间屋里躺着，我叫人请了大夫，悄悄的从后门进来瞧瞧就是了。』晴雯道：『虽如此说，你到底要告诉大奶奶一声儿；不然，一时大夫来了，人问起来，怎么说呢？』（蛛丝马迹，已见端倪，生活是生活的预兆，事件是事件的试探。人的投石问路，其实是从『天』那里学来的。所以说，文章本天成，妙手偶得之，妙手之妙，之学问之经验，全在于通天。）宝玉听了有理，便唤一个老嬷嬷来，吩咐道：『你回大奶奶去，就说晴雯白冷着了些，不是什么大病。袭人又不在家，他若家去养病，这里更没有人了。传一个大夫，悄悄的从后门进来瞧瞧，别回太太了。』老嬷嬷去了，半日来回说：『大奶奶知道了，说：两剂药好了便罢，若不好时，还是出去的为是。如今时气不好，沾染了别人事小，姑娘们的身子要紧。』（丫头的地位，毕竟微贱。这是想闭上眼也闭不住的。）晴雯睡在暖阁里，只管咳嗽，听了这话，气的嚷道：『我那里就害瘟病了？生怕招了人！我离了这里，看你们这一辈子都别头疼脑热的！』说着，便真要起来。宝玉忙按他，笑道：『别生气，这原是他的责任，生恐太太知道了说他。（『责任』一词，用得现代。）不过白说一句。你素昔又爱生气，如今肝火自然又盛了。』

袭人不在，谋事略显蹊跷。天冷，夜长。晴雯与麝月侍候宝玉入眠。夜半起来漱口喝茶。麝月出去，晴雯要唬她，受凉……云云，都是鸡毛蒜皮，平凡的琐事。这些琐事的后面，有一种与白天的红火热闹纠缠赖皮完全不同的气氛，给你以且惊且疑且闷的一种特殊的感觉。好像你也与他们共度了有事无事、无事有事、冷气逼人的一夜。你感到了生命的孤单和脆弱。你有一种风雨飘摇的预感。而这一切尽在不言之中。雪芹真巨匠也。这样的笔墨，活似来自天授。

正说时，人回：『大夫来了。』宝玉便走过来，避在书架后面，只见两三个后门口的老婆子带了一个太医进

来。这里的丫头都回避了，有三四个老嬷嬷，放下暖阁上的大红绣幔，晴雯从幔中单伸出手去。（晴雯看病的规格也如千金小姐。）那太医见这只手上有两根指甲，足有二三寸长，尚有金凤仙花染的通红的痕迹，便回过头来。（非礼勿视。）有一个老嬷嬷忙拿了一块手帕掩了。那太医方诊了一回脉，起身到外间，向嬷嬷们说道：『小姐的症是外感内滞。近日时气不好，竟算是个小伤寒。幸亏是小姐，素日饮食有限，风寒也不大，不过是气血原弱，偶然沾染了些，吃两剂药疏散疏散就好了。』（看病也是『红』的重要生活内容。）说着，便又随婆子们出去。

彼时李纨已遣人知会过后门上的人及各处丫鬟回避，太医只见了园中景致，并不曾见一个女子。一时出了园门，就在守园门的小厮们的班房内坐了，开了药方。（太医的位置在小厮班房内。）老嬷嬷道：『老爷且别去，我们小爷罗嗦，恐怕还有话问。』那太医忙道：『方才不是小姐，是位爷不成？那屋子竟是绣房，又是放下幔子来瞧的，如何是位爷呢？』老嬷嬷笑道：『我的老爷，怪道小子才说今儿请了一位新太医来了，真不知我们家的事。那屋子是我们小哥儿的，那人是屋里的丫头，倒是个大姐；那里的小姐的绣房？小姐病了，你那么容易就进去了！』说着，拿了药方进去了。

宝玉看时，上面有紫苏、桔梗、防风、荆芥等药，后面又有枳实、麻黄。宝玉道：『该死，该死！他拿着女孩儿们也像我们一样的治，如何使得！凭他有什么内滞，这枳实、麻黄如何禁得。谁请了来的？快打发他去罢！再请一个熟的来罢。』（宝玉也要管医疗事务。）老嬷嬷道：『用药好不好，我们不知道。如今再叫小厮去请王太医去倒容易，只是这个大夫又不是告诉总管房请的，这马钱是要给他的。』宝玉道：『给他多少？』婆子道：『少

不好看，也得一两银子，才是我们这样门户的礼。』宝玉道：『王太医来了，给他多少？』婆子笑道：『王太医和张太医每常来了，也并没个给钱的，不过每年四节，一大趸儿送礼；那是一定的年例。这个人新来了一次，须得给他一两银子。』

宝玉听说，就命麝月去取银子。麝月道：『花大姐姐还不知搁在那里呢？』宝玉道：『我常见他在那小螺甸柜子里拿钱，我和你找去。』说着，二人来至袭人堆东西的房内，开了螺甸柜子，上一槅都是些笔墨、扇子、香饼、各色荷包、汗巾等类的东西；下一槅却有几串钱。于是开了抽屉，才看见一个小笸箩内放着几块银子，倒也有一杆戥子。麝月便拿了一块银子，提起戥子来问宝玉：『那是一两的星儿？』宝玉笑道：『你问的我有趣儿，你倒成了是才来的了！』麝月也笑了，又要去问人。（袭人不在，出现『管理真空』的征兆。）宝玉道：『拣那大的给他一块就是了。又不做买卖，算这些做什么！』麝月听了，便放下戥子，拣了一块，掂了一掂笑道：『这一块只怕是一两了。宁可多些好，别少了叫那穷小子笑话：不说咱们不认得戥子，倒说咱们有心小气似的。』那婆子站在门口笑道：『那是五两的锭子夹了半个，这一块至少还有二两呢！这会子又没夹剪，姑娘收了这块，拣一块小些的。』麝月早关了柜子出来，笑道：『谁又找去，多些你拿了去完了！』（此时满不在乎。在乎的日子在后头呢。）宝玉道：『你只快叫焙茗再请个大夫去就是了。』婆子接了银子，自去料理。

一时焙茗果请了王太医来，先诊了脉，后说病症，也与前相仿。只是方子上果没有枳实、麻黄等药，倒有当归、陈皮、白芍等药。那分两较先也减了些。宝玉喜道：『这才是女孩儿们的药。虽疏散，也不可太过。旧年我病了，却是伤寒，内里饮食停滞，他瞧了，还说我禁不起麻黄、石膏、枳实等狼虎药。我和你们就如秋天芸儿进我的那才

开的白海棠是的，我禁不起的药，你们如何经得起？比如人家坟里的大杨树，看着枝叶茂盛，都是空心子的。』（自喻如此，令人摇头——实在没了脾气。）麝月笑道：『野坟里只有杨树，难道就没有松柏不成？最讨人嫌的是杨树，那么大树，只一点子叶子，没一点风儿，他也是乱响。你偏要比他，你也太下流了。』（麝月与宝玉谈说也是不拘礼的。）宝玉笑道：『松柏不敢比，连孔夫子都说「岁寒然后知松柏之后凋」呢。可知这两件东西高雅，不害臊的才拿他混比呢。』说着，只见老婆子取了药来。宝玉命把煎药的银吊子找了出来，就命在火盆上煎。晴雯因说：『正经给他们茶房里煎去！弄的这屋里药气，如何使得？』宝玉道：『药气比一切的花香还香得雅呢！神仙采药烧药，再者高人逸士采药治药，最妙的一件东西！这屋里我正想各色都齐了，就只少药香，如今恰全了。』（这样趋雅，直白，反显得浅俗了。）一面说，一面早命人煨上。又嘱咐麝月打点些东西，叫个老嬷嬷去看袭人，劝他少哭。一一妥当，方过前边来贾母王夫人处问安吃饭。

正值凤姐儿和贾母王夫人商议说：『天又短，又冷，不如以后大嫂子带着姑娘们在园子里吃饭，等天暖和了，再来回的跑，也不妨。』王夫人笑道：『这也是好主意。刮风下雪倒便宜。吃东西受了冷气也不好；空心走来，一肚子冷气，压上些东西也不好。不如园子后门里头的五间大房子，横竖有女人们上夜的，挑两个厨子女人在那里单给他姊妹弄饭。新鲜菜蔬是有分例的，在总管房里支了去，或要钱，要东西。那些野鸡獐狍各样野味，分些给他们就是了。』（天果然冷了。赏雪、采梅、食鹿肉、联诗之后，是一个寒冷的、无情的冬天。这些措施，对于天时的寒冷来说，也

不过是杯水车薪而已。）贾母道：『我也正想着呢，就怕又添厨房多事些。』凤姐道：『并不多事：一样的分例，这里添了，那里减了。就便多费些事，小姑娘们受了冷气，别人还可，第一，林妹妹如何禁得住？就连宝玉兄弟也禁不住。况兼众位姑娘都不是结实身子。』（袭人缺勤，晴雯染疾，已是不祥了。乐极生悲，冷气内外夹攻，读者已感到禁不起了。）

凤姐说毕，未知贾母何言，且听下回分解。

薛小妹诗所述遍及东西南北，相形之下大观园竟是这样狭小封闭，而宝琴又失之萍踪掠影。

对于冬夜的描写带几分灵气与鬼魅气，阴风灾风起于青萍之末，读者亦打了几个寒战。

第五十二回　俏平儿情掩虾须镯　勇晴雯病补雀毛裘

话说贾母道：『正是这个了。上次我要说这话，我见你们大事多，如今又添出些事来，你们固然不敢抱怨，未免想着我只顾疼这些小孙子孙女儿们，就不体贴你们这当家人了。你既这么说出来，便好了。』（贾母的恩宠本是有倾向、有『只顾疼』的，但她必须摆平衡，不能不有所顾忌与考虑——她也有难处。她绝不是自谦的吃喝玩会子的『老废物』。凤姐的可贵就在于说出了贾母想说而碍难出口的话。）因此时薛姨妈李婶娘都在座，邢夫人及尤氏等也都过来请安，还未过去，贾母因向王夫人等说道：『今日我才说这话，素日我不说：一则怕逞了凤丫头的脸，二则众人不服。今日你们都在这里，都是经过妯娌姑嫂的，还有他这样想得到的没有？』薛姨妈、李婶娘、尤氏齐笑说：『真个少有。别人不过是礼上面子情儿，实在他是真疼小姑子小叔子。就是老太太跟前，也是真孝顺。』贾母点头叹道：『我虽疼他，

我又怕他太伶俐了，也不是好事。』（远看一步，经验之谈。）凤姐儿忙笑道：『这话老祖宗说差了。世人都说：「太伶俐聪明怕活不长。」世人都说，世人都信，独老祖宗不当说，不当信：老祖宗只有伶俐聪明过我十倍的，怎么如今这么福寿双全的？只怕我明儿还胜老祖宗一倍呢。我活一千岁后，等老祖宗归了西，我才死呢。』（妙语生花，妩媚何如！老说这些便宜话，令人生气！）贾母笑道：『众人都死了，单剩咱们两个老妖精，有什么意思。』说的众人都笑了。

宝玉因惦记着晴雯等事，便先回园里来。到了屋中，药香满室，一人不见，只有晴雯独卧于炕上，脸上烧的飞红。又摸了一摸，只觉烫手；忙又向炉上将手烘暖，伸进被去摸了一摸身上，也是火热。因说道：『别人去了也罢，麝月秋纹也这样无情，各自去了？』晴雯道：『秋纹是我撵了他去吃饭的，麝月是方才平儿来找他出去了。两个人鬼鬼祟祟的，不知说什么。必是说我病了不出去。』宝玉道：『平儿不是那样人。况且他并不知你病特来瞧你，想来一定是找麝月来说话，偶然见你病了，随口说特瞧你的病，这也是人情乖觉取和儿的常事，便不出去，有不是，与他何干？你们素日又好，断不肯为这无干的事伤和气。』晴雯道：『这话也是，只是疑他为什么忽然又瞒起我来。』

宝玉笑道：『等我从后门出去，到那窗根下听听说些什么，来告诉你。』（听窗户根儿的传统源远流长，二爷亦公然行此道。无怪乎今日之影视动不动就是有意无意地听窗户根。）说着，果从后门出去，至窗下潜听。麝月悄悄问道：『你怎么就得了的？』平儿道：『那日彼时洗手时不见了，二奶奶就不许吵嚷，出了园子，即刻就传给园里各

处的妈妈们，小心访查。我们只疑惑邢姑娘的丫头，本来又穷，只怕小孩子家没见过，拿了起来是有的，再不料定是你们这里的。（人穷气短，被疑被冤。如今幸亏破了案，如若不然呢？）幸而二奶奶没有在屋里，你们这里的宋妈去了，拿着这支镯子，说是小丫头坠儿偷起来的，被他看见，来回二奶奶的。我赶忙接了镯子，想了一想：宝玉是偏在你们身上留心用意、争胜要强的，那一年有一个良儿偷玉，（呼应前事。）刚冷了这二年，闲时还常有人提起来趁愿；这会子又跑出一个偷金子的来了，而且更偷到街坊家去了！偏是他这样，偏是他的人打嘴。（有对立面。不知是否指赵一环系统。）所以我倒忙叮咛宋妈千万别告诉宝玉，只当没有这事，总别和一个人提起。（集体主义很强，过强了。丫头们何能互相分担荣辱？）第二件，老太太、太太听了生气。三则袭人和你们也不好看。所以我回二奶奶，只说：『我往大奶奶那里去来着，谁知镯子褪了口，丢在草根底下，雪深了，没看见。今儿雪化尽了，黄澄澄的映着日头，还在那里呢；我就拣了起来。』二奶奶也就信了，所以我来告诉你们。你们以后防着他些，别使唤他到别处去。等袭人回来，你们商议着，变个法子打发出去就完了。』（淡化处理，冷处理。）麝月道：『这小娼妇也见过些东西，怎么这么眼浅？』平儿道：『究竟这镯子能多重！原是二奶奶的，说这叫做「虾须镯」；倒是这颗珠子重了。晴雯那蹄子是块爆炭，要告诉了他，他是忍不住的，一时气上来，或打或骂，仍旧嚷出来，所以单告诉你留心就是了。』说着，便作辞而去。

宝玉听了，又喜，又气，又叹。喜的是平儿竟能体贴自己的心；气的是坠儿小窃；叹的是坠儿那样伶俐，做出这丑事来。因而回至房中，把平儿之话一长一短告诉了晴雯，又说：『他说你是个要强的，如今病了，听了这

话，越发要添病的，等好了再告诉你。』（宝玉对晴雯友好真诚，什么话都告诉她，甚至有讨好之意——袭人又不在，晴雯不就成了丫头班头、领衔人物了吗？效果却极坏。）晴雯听了，果然气的蛾眉倒蹙，凤眼圆睁，即时就叫坠儿。宝玉忙劝道：『这一喊出来，岂不辜负了平儿待你我的心呢？不如领他这个情，过后打发他出去，就完了。』晴雯道：『虽如此说，只是这气如何忍得住？』宝玉道：『这有什么气的？你只养病就是了。』

晴雯服了药，至晚间又服了二和，夜间虽有些汗，还未见效，仍是发烧头疼鼻塞声重。次日，王太医又来诊视，另加减汤剂。虽然稍减了烧，仍是头疼。宝玉便命麝月：『取鼻烟来，给他闻些，痛打几个嚏喷，就通快了。』麝月果真去取了一个金镶双金星玻璃小扁盒儿来，递与宝玉。宝玉便揭开盒盖，里面是个西洋珐琅的黄发赤身女子，两肋又有肉翅，里面盛着些真正上等洋烟。（像是安琪儿，但天使一般都是男身。）晴雯只顾看画儿，宝玉道：『闻些，走了气就不好了。』晴雯听说，忙用指甲挑了些，抽入鼻中，不见怎么。便又多挑了些抽入。忽觉鼻中一股酸辣，透入囟门，接连打了五六个嚏喷，眼泪鼻涕，登时齐流。晴雯忙收了盒子，笑道：『了不得，辣！快拿纸来！』早有小丫头子递过一搭子细纸，晴雯便一张一张的拿来醒鼻子。宝玉笑问：『如何？』晴雯笑道：『果然通快些。只是太阳还疼。』宝玉笑道：『越发尽用西洋药治一治，只怕就好了。』说着，便命麝月：『往二奶奶要去，就说我说了：姐姐那里常有那西洋贴头疼的膏子药，叫做「依弗哪」，我寻一点儿。』

麝月答应去了，半日，果然拿了半节来。便去找了一块红缎子角儿，铰了两块指顶大的圆式，将那药烤和了，用簪挺摊上。晴雯自拿着一面靶儿镜子贴在两太阳上。（明为西洋药「依弗哪」，用起来却是狗皮膏药的路子。西体中用一例。）

不是中体西用。）麝月笑道：『病的蓬头鬼一样，如今贴了这个，倒俏皮了！二奶奶贴惯了，倒不大显。』说毕，又向宝玉道：『二奶奶说了：明日是舅老爷的生日，太太说了叫你去呢。明儿穿什么衣裳？今儿晚上好打点齐备了，省的明儿早起费手。』宝玉道：『什么顺手就是什么罢了。一年闹生日也闹不清！』（无事生『生』。）说着，便起身出房，往惜春房中去看画儿。刚到院门外边，忽见宝琴小丫头名小螺的从那边过去，宝玉忙赶上问：『那里去？』小螺笑道：『我们二位姑娘都在林姑娘房里呢，我如今也往那里去。』

宝玉听了，转步也便同他往潇湘馆来。不但宝钗姊妹在此，且连邢岫烟也在那里。四人团坐在熏笼上叙家常。紫鹃倒坐在暖阁里，临窗做针线。一见他来，都笑说：『又来了一个！没了你的坐处了。』宝玉笑道：『好一幅「冬闺集艳图」！可惜我迟来了一步，横竖这屋子比各屋子暖，这椅子坐着并不冷。』说着，便坐在黛玉常坐的搭着灰鼠椅搭的一张椅上。因见暖阁之中有一玉石条盆，里面攒三聚五栽着一盆单瓣水仙，宝玉便极口赞道：『好花！这屋子越暖，这花香的越浓。怎么昨儿没见？』（写尽繁花，不弃水仙。）黛玉笑道：『这是你家的大总管赖大奶奶送薛二姑娘的两盆水仙、两盆腊梅。他送了我一盆水仙，送了云丫头一盆腊梅。我原不要的，又恐辜负了他的心。你若要，我转送你如何？』宝玉道：『我屋里却有两盆，只是不及这个。琴妹妹送你的，如何又转送人，这个断断使不得。』黛玉道：『我一日药吊子不离火，我竟是药培着呢，哪里还搁的住花香来熏？越发弱了。况且这屋子里一股药香，反把这花香搅坏了。不如你抬了去，这花儿倒清净了，没什么杂味来搅他。』宝玉笑道：『我屋里今儿也有个病人煎药呢。你怎么知道的？』黛玉笑道：『这说奇了。我原是无心话，谁知你屋里的事？你不早

来听古记儿，这会子来了，自惊自怪的。』

宝玉笑道：『咱们明儿下一社又有了题目了：就咏水仙、腊梅。』黛玉听了，笑道：『罢，罢！再不敢做诗了。做一回，罚一回，没的怪羞的。』说着，便两手握起脸来。宝玉笑道：『何苦来！又打趣我做什么？我还不怕臊呢，你倒握起脸来了。』宝钗因笑道：『下次我邀一社，四个诗题，四个词题。每人四首诗，四首词。头一个诗题「咏太极图」，限「一先」的韵，五言排律；要把「一先」的韵都用尽了，一个不许剩。』（宝钗的诗题怪异。不青春，不生活，不细腻，又不仁义道德地入世。）宝琴笑道：『这一说，可知是姐姐不是真心起社了，这分明是难人。若论起来，也强扭的出来，不过颠来倒去，弄些《易经》上的话生填，究竟有何趣味！（令人觉得她在以毒攻毒，把做诗的事引向走火入魔，以便降温。）我八岁的时节，跟我父亲到西海沿上买洋货，谁知有个真真国的女孩子，才十五岁，那脸面就和那西洋画上的美人一样，也披着黄头发，打着联垂，满头带着都是玛瑙、珊瑚、猫儿眼、祖母绿，身上穿着金丝织的锁子甲，洋锦袄袖；带着倭刀，也是镶金嵌宝的。（这种打扮似更像中东、中亚，而不像欧美的。）实在画儿上也没他那么好看。有人说他通中国的诗书，会讲「五经」，能做诗填词，因此我父亲央烦了一位通官，烦他写了一张字，就写他做的诗。』

众人都称奇道异。宝玉忙笑道：『好妹妹，你拿出来我们瞧瞧。』宝琴笑道：『在南京收着呢，此时那里去取？』宝玉听了，大失所望，便说：『没福得见这世面！』黛玉笑拉宝琴道：『你别哄我们。我知道你这一来，你的这些东西，未必放在家里，自然都是要带上来的。这会子又扯谎，说没带来。他们虽信，我是不信的。』宝

琴便红了脸，低头微笑不答。（宝琴亦明守拙抱朴之道。）宝钗笑道：『偏这颦儿惯说这些话，你就伶俐的太过余了。』黛玉笑道：『带了来，就给我们见识见识也罢了。』宝钗笑道：『箱子笼子一大堆，还没理清，知道在那个里头呢，等过日收拾清了找出来，大家再看就是了。』又向宝琴道：『你若记得，何不念念我们听听？』宝琴答道：『记得他做的五言律一首，若论外国的女子，也就难为他了。』宝钗道：『你且别念，等我把云儿叫了来，也叫他听听。』说着，便叫小螺来，吩咐道：『你到我那里去，就说我们这里有一个外国的美人来了，做的好诗，请你这「诗疯子」来瞧去；再把我们「诗呆子」也带来。』（诗疯子、诗呆子，『好温馨的名字』——语出汪明荃的电视广告！）

小螺笑着去了。半日，只听湘云笑问：『那一个外国的美人来了？』一头说，一头走，和香菱来了。众人笑道：『人未见形，先已闻声。』宝琴等让坐，遂把方才的话重诉了一遍。湘云笑道：『快念来听听。』（因诗而生发开去，曹公几乎收不住自己的笔。）宝琴因念道：

昨夜朱楼梦，今宵水国吟。

岛云蒸大海，岚气接丛林。

月本无今古，情缘自浅深。

汉南春历历，焉得不关心？（此诗意趣果然不同，另是一路。无怪乎讲什么真真国女子、金发美人。）

众人听了，都道：『难为他！竟比我们中国人还强。』一语未了，只见麝月走来，说：『太太打发了人来告诉二爷，明儿一早往舅舅那里去，就说太太身上不大好，不得亲身来。』宝玉忙站起来答应道：『是。』因问宝钗宝琴：『你们二位可去？』宝钗道：『我们不去。昨儿单送了礼去了。』大家说了一回方散。

宝玉因让诸姊妹先行，自己在后面，黛玉便又叫住他，问道：『袭人到底多早晚回来？』宝玉道：『自然等送了殡才来呢。』黛玉还有话说，又不能出口，出了一回神，便说道：『你去罢。』宝玉也觉心里有许多话，只是口里不知要说什么，想了一想，也笑道：『明儿再说罢。』（渴望进一步的交流。绥德民歌《三十里铺》云：『有心说上几句话，又怕人笑话。』）一面下台阶，低头正欲迈步，复又忙回身问道：『如今夜越发长了，你一夜咳嗽几次？醒几遍？』黛玉道：『昨儿夜里好了，只嗽了两遍；却只睡了四更一个更次，就再不能睡了。』宝玉又笑道：『正是有句要紧的话，这会子才想起来。』一面说，一面便挨近身来，悄悄道：『我想宝姐姐送你的燕窝……』（他们的感情愈益深了。）一语未了，只见赵姨娘走进来瞧黛玉，问：『姑娘这几天可好了？』黛玉便知他从探春处来，从门前过，顺路的人情，忙陪笑让坐，说：『难得姨娘想着，怪冷的，亲自走来。』（顺路人情也罢，赵黛大面上还过得去。从权力格局上看，赵宁可是要团结黛的，她们反正都不沾『权』字。）又忙命倒茶，一面又使眼色给宝玉。宝玉会意，便走了出来。正值吃晚饭时，见了王夫人，又嘱咐他早去。宝玉回来，看晴雯吃了药。此夕宝玉便不命晴雯挪出暖阁来，自己便在晴雯外边。又命将熏笼抬至暖阁前，麝月便在熏笼上睡。（贾府富则富矣，取暖设备则还是太落后贫乏了。）一宿无话。（袭人缺，晴雯病，这是主要悬念，正好插一段写真真国女子的诗，赵姨娘顺路看望黛玉，欲疾先缓，欲收先纵，此章法也。）

至次日，天未明，晴雯便叫醒麝月道：『你也该醒了，只是睡不够！你出去叫人给他预备茶水，我叫醒他就是了。』麝月忙披衣起来道：『咱们叫他起来，穿好衣裳，抬过这火箱去，再叫他们进来。老妈妈们已经说过，不叫他在这屋里，怕过了病气；如今他们见咱们挤在一处，又该唠叨了。』晴雯道：『我也是这么说。』二人才叫时，宝玉已醒了，忙起身披衣。麝月先叫进小丫头子来收拾妥了，才命秋纹等进来，一同伏侍。宝玉梳洗毕，麝月道：『天又阴阴的，只怕有雪，穿一套毡子的罢。』宝玉点头，即时换了衣服。小丫头便用小茶盘捧了一盖碗建莲红枣汤来，宝玉喝了两口。麝月又捧过一小碟法制紫姜来，宝玉噙了一块。又嘱咐了晴雯一回，便忙往贾母处来。

贾母犹未起来，知道宝玉出门，便开了屋门，命宝玉进去。宝玉见贾母身后宝琴面向里睡着未醒。贾母见宝玉身上穿着荔支色哆罗呢的箭袖，大红猩猩毡盘金彩绣石青妆缎沿边的排穗褂。贾母道：『下雪呢么？』（『呢么』云云，不甚合语法，口语中确有这样用的。读如nema，音极短促，轻读。）宝玉道：『天阴着，还没下呢！』贾母便命鸳鸯来：『把昨儿那一件孔雀毛的氅衣给他罢。』鸳鸯答应走去，果取了一件来。宝玉看时，金翠辉煌，碧彩闪灼，又不似宝琴所披之凫靥裘。只听贾母笑道：『这叫做「雀金呢」，这是俄罗斯国拿孔雀毛拈了线织的。（孔雀毛拈线问题：存疑。孔雀生活于亚热带或热带，似不在俄罗斯，也未必防寒。但此衣却带来了后面补裘的重要情节。）前儿那件野鸭子的，给了你小妹妹，这件给你罢。』宝玉磕了一个头，便披在身上。贾母笑道：『你先给你娘瞧瞧去再去。』

宝玉答应了，便出来，只见鸳鸯站在地下揉眼睛。因自那日鸳鸯发誓绝婚之后，他总不合宝玉说话，宝玉正自日夜不安，此时见他又要回避，宝玉便上来笑道：『好姐姐，你瞧瞧，我穿着这个好不好？』鸳鸯一摔手，便进贾母房中来了。（鸳鸯的决心，毕竟不足喜庆。）宝玉只得到了王夫人房中，与王夫人看了，然后又回至园中，与晴雯麝月看过，来回复贾母说：『太太看了，只说可惜了的，叫我仔细穿，别遭塌了。』贾母道：『就剩了这一件，你遭塌了也再没了。这会子特给你做这个，也是没有的事。』说着，又嘱咐：『不许多吃酒，早些回来。』宝玉应了几个『是』。

老嬷嬷跟至厅上，只见宝玉的奶兄李贵、王和荣、张若锦、赵亦华、钱启、周瑞六个人，带着焙茗、伴鹤、锄药、扫红四个小厮，背着衣包，拿着坐褥，笼着一匹雕鞍彩辔的白马，早已伺候多时了。（写到哪儿有哪儿，要哪儿有哪儿。生活经验烂熟于胸，自然俯拾即是，俯拾即真，俯拾即真像那么回事。）老嬷嬷又嘱咐他们些话，六个人连应了几个『是』，忙捧鞍坠镫，宝玉慢慢的上了马，李贵王和荣笼着嚼环，钱启周瑞二人在前引导，张若锦赵亦华在两边，紧贴宝玉身后。宝玉在马上笑道：『周哥，钱哥，咱们打这角门走罢，省了到老爷的书房门口，又下来。』周瑞侧身笑道：『老爷不在书房里，天天锁着，爷可以不用下来罢了。』宝玉笑道：『虽锁着，也要下来的。』钱启李贵都笑道：『爷说的是。便托懒不下来，倘或遇见赖大爷林二爷，虽不好说爷，也要劝两句。所有的不是，都派在我们身上，又说我们不教给爷礼了。』周瑞钱启便一直出角门来。（这些细节最增可信性。）

正说话时，顶头见赖大进来，宝玉忙笼住马，意欲下来。赖大忙上来抱住腿。宝玉便在镫上站起来，笑着，携手说了几句话。接着又见个小厮带着二三十人，拿着扫帚簸箕进来，见了宝玉，都顺墙垂手立住，独为首的小厮打了个千儿，说：『请爷安。』宝玉不知名姓，只微笑点点头儿。（写到哪儿『像』到哪儿。）马已过去，那人方带人去了。于是出了角门，外有李贵等六人的小厮并几个马夫，早预备下十来匹马专候，（无处不排场。）一出角门，李贵等各上马前引，一阵烟去了，不在话下。（实不该这样急。）

这里晴雯吃了药，仍不见病退，急的乱骂大夫，说：『只会骗人的钱，一剂好药也不给人吃。』麝月笑劝他道：『你太性急了，俗语说：「病来如山倒，病去如抽丝。」又不是老君的仙丹，那有这样灵药？你只静养几天，自然好了。你越急越着手。』晴雯又骂小丫头子们：『那里攒沙去了！瞅着我病了，都大胆子走了。明儿我好了，一个一个的才揭了你们的皮呢！』（一级压一级，一级唬一级。）唬的小丫头子定儿忙进来问：『姑娘做什么？』晴雯道：『别人都死了，就剩了你不成？』说着，只见坠儿也蹭了进来。晴雯道：『你瞧瞧这小蹄子，不问他还不来呢。这里又放月钱了，又散果子了，你该跑在头里了。你往前些，我是老虎，吃了你！』坠儿只得往前凑了几步，晴雯便冷不防，欠身一把将他的手抓住，向枕边拿起一丈青，向他手上乱戳，口内骂道：『要这爪子做什么？拈不得针，拿不动线，只会偷嘴吃。眼皮子又浅，爪子又轻，打嘴现世的，不如戳烂了！』（即使晴雯的这种表现归入『疾恶如仇』一类，也忒急躁了些。晴雯如掌了大权，对『下面』不会好到哪儿去。她分明在死力维护主子的法度与利益。她的可爱，并不是非戴上『叛逆』的桂冠才算的。某些做法，近于凤姐而不是旁人——一张手便可施人肉刑，狠得可以。）坠儿疼的乱喊。麝月忙拉开，按着晴雯躺下，道：『你才出了汗，又作死。等你好了，要打多少打不得？这会子闹什么！』

晴雯便命人叫宋嬷嬷进来，说道：『宝二爷才告诉了我，叫我告诉你们，坠儿很懒，宝二爷当面使他，他拨嘴儿不动，连袭人使他，他也背地骂他。今儿务必打发他出去，明儿宝二爷亲自回太太就是了。』宋嬷嬷听了，心下便知镯子事发，因笑道：『虽如此说，也等花姑娘回来，知道了，再打发他。』晴雯说：『宝二爷今儿千叮咛万嘱咐的，什么「花姑娘」「草姑娘」的，我们自然有道理。你只依我的话，快叫他家的人来领他出去。』麝月道：『这也罢了。早也是去，晚也是去，早带了去，早清净一日。』

宋嬷嬷听了，只得出去，唤了他母亲来，打点了他的东西。又见了晴雯等，说道：『姑娘们怎么了，你侄女儿不好，你们教导他，怎么撵出去？也到底给我们留个脸儿。』晴雯道：『这话只等宝玉来问他，与我们无干。』那媳妇冷笑道：『我有胆子问他去！他那一件事不是听姑娘们的调停？他纵依了，姑娘们不依，也未必中用。（实话。越被宠爱越被包围，越易受近侍们的影响。）比如方才说话，虽背地里，姑娘就直叫他的名字；在姑娘们就使得，在我们就成了野人了。』

晴雯听说，越发急红了脸，说道：『我叫了他的名字了，你在老太太、太太跟前告我去，说我野，也撵出我去！』麝月道：『嫂子，你只管带了人出去，有话再说。这个地方岂有你叫喊讲礼的？你见谁和我们讲过礼？别说嫂子你，就是赖大奶奶林大娘也得担待我们三分。便是叫名字，从小儿直到如今，都是老太太吩咐过的，你们也知道的：恐怕难养活，巴巴的写了他的小名儿各处贴着，叫万人叫去，为的是好养活，连挑水挑粪花子都叫得，何况我们！连昨儿林大娘叫了一声「爷」，老太太还说呢。此是一件。二则我们这些人，常回老太太、太太的话去，可不叫着名回话，难道也称「爷」？那一日不把「宝玉」两字叫二百遍，偏嫂子又来挑这个了！过一天嫂子闲了，在老太太、太太跟前听听，我们当着面儿叫他，就知道了。嫂子原也不得在老太太、太太跟前当些体统差使，成年家只在三门外头混，怪不得不知道我们里头的规矩。这里不是嫂子久站的，再一会，不用我们说话，就有人来问你了。（级别，见识，标准，当然各不相同。）有什么分证的话，且带了他去，你回了林大娘，叫他来找二爷说话。家里上千的人，他也跑来，我也跑来，我们认人问姓还认不清呢！』（都是这样的嘴上功夫，了得，了不得！）说着，便叫小丫头子：『拿了擦地的布来擦地！』（这就叫『舌头底下压死人』。）那媳妇听了，无言可对，亦不敢久站，赌气带了坠儿就走。宋嬷嬷忙道：『怪道你这嫂子不知规矩：你女儿在屋里一场，临去时也给姑娘们磕个头。没有别的谢礼，他们也不希罕，不过磕个头尽心罢咧，怎么说走就走？』坠儿听了，只得翻身进来给他两个磕头，又找秋纹等。他们也并不睬他。那媳妇嗐声叹气，口不敢言，抱恨而去。（坠儿与乃母何等可怜，晴雯、麝月何等刁恶！赏晴雯者，不能视而不见。）

晴雯方才又闪了风，着了气，反觉更不好了。翻腾至掌灯，刚安静了些，只见宝玉回来，进门就嗐声顿足。麝月忙问原故，宝玉道：『今儿老太太欢欢喜喜的给了这件褂子，谁知不防，后襟子上烧了一块，幸而天晚了，老太太、太太都不理论。』一面脱下来，麝月瞧时，果然有指顶大的烧眼，说：『这必定是手炉里的火进上了。这不值什么，赶着叫人悄悄拿出去叫个能干织补匠人织上就是了。』说着，便用包袱包了，叫了一个嬷嬷送出去，说：『赶天亮就有才好，千万别给老太太、太太知道！』婆子去了半日，仍就拿回来，说：『不但织补匠，能干裁缝、绣匠并做女工的，问了，都不认的这是什么，都不敢揽。』麝月道：『这怎么样呢？明儿不穿也罢了。』宝玉道：『明儿是正日子，老太太、太太说了，还叫穿这个去呢！偏头一日就烧了，岂不扫兴！』

晴雯听了半日，忍不住，翻身说道：『拿来我瞧瞧罢！没那福气穿就罢了。』说着，便递与晴雯，又移过灯来，

细瞧了一瞧。晴雯道：『这是孔雀金线的。如今咱们也拿孔雀金线，就像界线似的界密了，只怕还可混的过去。』麝月笑道：『孔雀线现成的，但这里除你，还有谁会界线？』晴雯道：『说不的我挣命罢了！』宝玉忙道：『这如何使得！才好了些，如何做得活。』晴雯道：『不用你蝎蝎螫螫的，我自知道。』（平日只见晴雯娇纵偷懒使性，毕竟是有真本事、有绝活的，故而恃才傲物。）一面说，一面坐起来，挽了一挽头发，披了衣裳，只觉头重身轻，满眼金星乱迸，实实掌不住。待不做，又怕宝玉着急，少不得狠命咬牙捱着。（这也是献身。一切为了、一切献给宝二爷。）便命麝月只帮着拈线。晴雯先拿了一根比一比，笑道：『这虽不很像，若补上也不很显。』宝玉道：『这就很好，那里又找俄罗斯国的裁缝去。』晴雯先将里子拆开，用茶杯口大小一个竹弓钉绷在背面，再将破口四边用金刀刮的散松松的，然后用针缝了两条，分出经纬，亦如界线之法，先界出地子来，后依本纹来回织补。（借此写到针线活计，真『博学』多能也。曹公的杂学也是令人咋舌。）补两针，又看看；织补不上三五针，便伏在枕上歇一会。宝玉在旁，一时又问：『吃些滚水不吃？』一时又命：『歇一歇。』一时又拿一件灰鼠斗篷替他披在背上，一时又拿个枕头与他靠着。（宝玉是最怜香惜玉的，但事关次日给老太太、太太的印象，便不惜牺牲晴雯了。）急的晴雯央道：『小祖宗，你只管睡罢，再熬上半夜，明儿眼睛抠搂了，那可怎么好！』

宝玉见他着急，只得胡乱睡下，仍睡不着。一时只听自鸣钟已敲了四下，刚刚补完；又用小牙刷慢慢的剔出氄毛来。（凡人读至此，惊、叹、服、呆。）麝月道：『这就很好，若不留心，再看不出的。』宝玉忙要了瞧瞧，笑说：『真真一样了。』晴雯已嗽了几阵，好容易补完了，说了一声：『补虽补了，到底不像，我也再不能了！』『嗳哟』

了一声，便身不由主倒下了。要知端的，且看下回分解。

晴雯补裘一节，素为评者称道，赞不绝口。余心有戚戚焉。赞什么呢？逐坠补裘，忠勇可嘉？士为知己者用？与『文死谏，武死战』又有什么区别？无非是宝玉不肯（不赞成）自己为『上』而死，却不反对丫头们为他而死罢了。不觉可赞，只觉可怜，可惜，可悲，可叹。

终于无话可说。

平儿息事宁人，宝玉客观上在传播是非，晴雯过于要强，病中暴怒，不是好事，又献身补裘，其走向悲惨结局，竟也是一步一个脚印。

第五十三回 宁国府除夕祭宗祠 荣国府元宵开夜宴

话说宝玉见晴雯将雀裘补完，已使得力尽神危，（力尽神危，殊可嗟叹。作为一个没落世家的子弟，雪芹笔都流露出真诚的劝世心愿：不可太努力，不可太要强，不可不留地步……他宁愿相信并鼓吹一种消极阴柔的、老庄式的辩证法。）忙命小丫头子来替他捶着，彼此捶打了一会。歇下没一顿饭的工夫，天已大亮，且不出门，只叫：『快请大夫。』一时王大夫来了，诊了脉，疑惑说道：『昨日已好了些，今日如何反虚浮微缩起来，敢是吃多了饮食？不然就是劳了神思。外感却倒轻了，这汗后失了调养，非同小可。』一面说，一面出去开了药方进来。宝玉看时，已将疏散驱邪诸药减去，倒添了茯苓、地黄、当归等益神养血之剂。宝玉一面忙命人煎去，一面叹说：『这怎么处！倘或有个好歹，都是我的罪孽。』晴雯睡在枕上，嗐道：『好二爷！你干你的去罢，那里就得了痨病了呢。』宝玉无奈，只得去了。至下半天，说身上不好，就回来了。晴雯此症虽重，幸亏他素昔是个使力不使心的，再者素常饮食清淡，饥饱无伤。这贾宅中的秘法：无论上下，只一略有些伤风咳嗽，总以净饿为主，次则服药调养。故于前一日病时，就饿了两三日，又谨慎服药调养，如今虽劳碌了些，又加倍培养了几日，便渐渐的好了。近日园中姐妹皆各在房中吃饭，炊爨饮食甚便，宝玉自能要汤要羹调停，不必细说。（晴雯的病情写到这里，恰到好处。太轻了就不会被折腾死了。太重了则反正没有救，死定了。写病，写到有失调养的一面，也写到有痊愈希望的有利一面。）

袭人送母殡后，业已回来，麝月便将坠儿一事，并晴雯撵逐出去、也曾回过宝玉等语，一一的告诉袭人。袭人也没说别的，只说：『太性急了。』（『太性急了』的评价，显出袭人的稳健。）只因李纨亦因时气感冒；邢夫人正害火眼，迎春岫烟皆过去朝夕侍药；李纨之兄又接了李婶娘、李纹、李绮家去住几日；宝玉又见袭人常常思母含悲，晴雯又未大愈：因此诗社一事，皆未有人作兴，便空了几社。（也是乐极生悲。再如芦雪亭联诗般一聚，此生难再矣。）当下已是腊月，离年日近，王夫人与凤姐儿治办年事。王子腾升了九省都检点，贾雨村补授了大司马，协理军机，参赞朝政，不题。

且说贾珍那边开了宗祠，着人打扫，收拾供器，请神主；又打扫上房，以备悬供遗真影像。此时荣宁二府，内外上下，皆是忙忙碌碌。（过完一个个生日，再过年节，总有事干，有折腾，有花销，有麻烦的。）这日，宁府中尤氏正起来，同贾蓉之妻打点送贾母这边的针线礼物，正值丫头捧了一茶盘押岁锞子进来，回说：『兴儿回奶奶：前儿那一包碎金子，共是一百五十三两六钱七分，里头成色不等，总倾了二百二十个锞子。』说着递上去。尤氏看了一看，只见也有梅花式的，也有海棠式的，也有『笔锭如意』的，也有『八宝联春』的。（讲究。）尤氏命：『收拾起来，叫兴儿将银锞子快快交了进来。』丫鬟答应去了。

一时贾珍进来吃饭，贾蓉之妻回避了。（贾蓉之妻回避，令人想起可卿。）贾珍因问尤氏：『咱们春祭的恩赏可领了不曾？』尤氏道：『今儿我打发蓉儿关去了。』贾珍道：『咱们家虽不等这几两银子使，多少是皇上天恩。早关了来，给那边老太太送过去，置办祖宗的供，上领皇上的恩，下则是托祖宗的福。咱们那怕用一万银子供祖宗，到底不如这个有体面，又是沾恩锡福。除咱们这么一二家之外，那些世袭穷官儿家，若不仗着这银子，拿什么上供过年？真正皇恩浩荡，想得周到。』（天恩祖德，本是好话。但这样一讲，本人则完全是依赖寄生吃老本沾天光的了。天恩祖德讲得愈响，贾府就愈没人努力奋斗了。）尤氏道：『正是这话。』

二人正说着，只见人回：『哥儿来了。』贾珍便命：『叫他进来。』只见贾蓉捧了一个小黄布口袋进来。贾珍道：『怎么去了这一日？』贾蓉陪笑回说：『今儿不在礼部关领了，又在光禄寺库上。因又到了光禄寺，才领下来了。（略可想见『今上』那里也是拆东墙补西墙，捉襟见肘。）光禄寺官儿们都说，问父亲好，多日不见，都着实想念。』贾珍笑道：『他们那里是想我？这又到了年下了，不是想我的东西，就是想我的戏酒了。』一面说，一面瞧那黄布口袋，上有封条，就是『皇恩永锡』四个大字；（皇恩永锡，就是永远有老本可吃。）那一边又有礼部祠祭司的印记。一行小字，道是：『宁国公贾演，荣国公贾法，恩赐永远春祭赏共二分，净折银若干两，某年月日，龙禁尉候补侍卫贾蓉当堂领讫。值年寺丞某人。』下面一个朱笔花押。

贾珍看了，吃过饭，盥漱毕，换了靴帽，命贾蓉捧着银子跟了来。回过贾母王夫人，又至这边，回过贾赦邢夫人，方回家去，取出银子，命将口袋向宗祠大炉内焚了。又命贾蓉道：『你去问问你那边二婶娘，正月里请吃年酒的日子拟了没有？若拟定了，叫书房里明白开了单子来，咱们再请时，就不能重复了。旧年不留神，重了几家，人家不说咱们不留心，倒像两家商议定了，送虚情怕费事的一样。』（如此细密筹划，收效甚微——见后。）贾蓉忙答应去了。一时，拿了请人吃年酒的日期单子来了。贾珍看了，命：『交给赖升去看了，请人别重了这上头的日子。』因在厅上看着小厮们抬围屏，擦抹几案金银供器。

只见小厮手里拿着一个禀帖，并一篇账目，回说：『黑山村乌庄头来了。』贾珍道：『这个老砍头的，今儿才来。』贾蓉接过禀帖和账目，忙展开捧着，贾珍倒背着两手，向贾蓉手内看去。那红禀上写着：『门下庄头乌进孝叩请爷奶奶万福金安，并公子小姐金安。新春大喜大福，荣贵平安，加官进禄，万事如意。』贾珍笑道：『庄家人有些意思。』贾蓉也忙笑道：『别看文法，只取个吉利儿罢。』一面忙展开单子看时，只见上面写着：

大鹿三十只，獐子五十只，狍子五十只，暹猪二十个，汤猪二十个，龙猪二十个，野猪二十个，家腊猪二十个，野羊二十个，青羊二十个，家汤羊二十个，家风羊二十个，鲟鳇鱼二百个，各色杂鱼二百斤，活鸡、鸭、鹅各二百只，风鸡、鸭、鹅二百只，野鸡野猫各二百对，熊掌二十对，鹿筋二十斤，海参五十斤，鹿舌五十条，牛舌五十条，蛏干二十斤，榛、松、桃、杏瓤各二口袋，大对虾五十对，干虾二百斤，银霜炭上等选用一千斤，中等二千斤，柴炭三万斤，御田胭脂米二担，碧糯五十斛，白糯五十斛，粉粳五十斛，杂色粱谷各五十斛，下用常米一千担，各色干菜一车，外卖粱谷牲口各项折银二千五百两。外门下孝敬哥儿玩意儿：活鹿两对，白兔四对，黑兔四对，活锦鸡两对，西洋鸭两对。（又开起清单来了。当然都是剥削农民而得的。不知有没有点什么『新闻主义』『新新闻主义』的意思。看来可以命名为『清单现实主义』『表格现实主义』。『红』中这一类叙述大可制成图表多媒体。）

贾珍看完，说：『带进他来。』一时只见乌进孝进来，只在院内磕头请安。贾珍命人拉起他来，笑说：『你还硬朗？』乌进孝笑道：『不瞒爷说，小的走惯了，不来也闷的慌。他们可不是都愿意来见见天子脚下世面？他们到底年轻，怕路上有闪失，再过几年就可以放心了。』贾珍道：『你走了几日？』乌进孝道：『回爷的话：今年雪大，外头都是四五尺深的雪，前日忽然一暖一化，路上竟难走的很，耽搁了几日。虽走了一个月零两日，日子有限，怕爷心焦，可不赶着来了。』

贾珍道：『我说呢，怎么今儿才来。我才看那单子上，今年你这老货又来打擂台来了。』乌进孝忙进前两步回道：『回爷说：今年年成实在不好。从三月下雨，接连着直到八月，竟没有一连晴过五六日；九月一场碗大的雹子，方近二三百里地方，连人带房，并牲口粮食，打伤了上千上万的，所以才这样。（毛泽东氏很强调这一节，认为它写的是阶级斗争。作者并未十分着力写这些，但要忠于真实，就不能不写这些，恰恰成为与贾府奢靡挥霍生活相比的鲜明对照。当然，是阶级压迫，阶级剥削。暂时尚未看到多少斗争。尽管是草草写到，仍叫人看到想到贾府以外的民苦民瘼。）小的并不敢说谎。』贾珍皱眉道：『我算定你至少也有五千银子来，这够做什么的！如今你们一共只剩了八九个庄子，今年倒有两处报了旱潦，你们又打擂台，真真是叫别过年了。』乌进孝道：『爷的这地方还算好呢！我兄弟离我那里只一百多地，竟又大差了。

他现管着那府八处庄地，比爷这边多着几倍，今年也是这些东西，不过二三千两银子，也是有饥荒打呢。』贾珍道：『正是呢。我这边倒可已，没什么外项大事，不过是一年的费用。我受用些就费些，我受些委屈就省些。再者年例送人请人，我把脸皮厚些，也就完了。比不得那府里，这几年添了许多花钱的事，一定不可免是要花的，却又不添些银子产业。这一二年里赔了许多，不和你们要，找谁去！』（只能往下压，往下榨。这里有一种理所当然的流氓腔调、强盗口吻。倚势压人，巧取豪夺，与流氓强盗实质无异。）

乌进孝笑道：『那府里如今虽添了事，有去有来。娘娘和万岁爷岂不赏呢？』贾珍听了，笑向贾蓉等道：『你们听听，他说的可笑不可笑？』贾蓉等忙笑道：『你们山坳海沿子上的人，那里知道这道理。娘娘难道把皇上的库给我们不成！他心里纵有这心，他不能作主。岂有不赏之礼，按时按节，不过是些彩缎、古董、玩意儿。就是赏，也不过一百两金子，才值一千多两银子，够什么？这二年，那一年不赔出几千两银子来！头一年，省亲连盖花园子，你算算那一注花了多少，就知道了。再二年，再省一回亲，只怕就精穷了。』（大有大的难处，高有高的难处，皇亲国戚有皇亲国戚的难处。好比坟地里的杨树，心已空了。）贾珍笑道：『所以他们庄客老实人，「外明不知里暗的事」，「黄柏木作了磬槌子，——外头体面里头苦。」』（在上之人，都有这种慨叹。）贾蓉又说又笑向贾珍道：『果真那府里穷了，前儿我听见二婶娘和鸳鸯悄悄商议，要偷老太太的东西去当银子呢。』贾珍笑道：『那又是凤姑娘的鬼，那里就穷到如此？他必定是见去路大了，实在赔得很了，不知又要省那一项的钱，先设出这法子来，使人知道，说穷到如此了。我心里却有个算盘，还不至此田地。』（穷也要加以利用，做出有利于己的文章。富要做富的文章，穷要做穷的文章。）

真正穷了，也就无文章可做了，也就蔫了。）说着，便命人带了乌进孝出去，好生待他，不在话下。

这里贾珍吩咐将方才各物留出供祖宗的来，将各样取了些，命贾蓉送过荣府里去，然后自己留了家中所用的，余者派出等第，一分一分的堆在月台底下；命人将族中子侄唤来，分给他们。接着荣国府也送了许多供祖之物及与贾珍之物。贾珍看着收拾完备供器，靸着鞋，披着一件猞猁狲大皮袄，命人在厅柱下石阶上太阳中，铺了一个大狼皮褥子负暄，闲看各子弟们来领取年物。因见贾芹亦来领物，贾珍叫他过来，说道：『你做什么也来了，谁叫你来的？』贾芹垂手回说：『听见大爷这里叫我们领东西，我没等人去就来了。』贾珍道：『我这东西，原是给你那些闲着无事没进益的叔叔兄弟们的，那二年你闲着，我也给过你的。你如今在那府里管事，家庙里管和尚道士们，一月又有你的分例外，这些和尚的分例银钱都从你手里过，你还来取这个来，太也贪了！（太也贪了，太也贪了，太也贪了！）你自己瞧瞧，你穿的可像个手里使钱办事的？先前你说没进益，如今又怎么了？比先倒不像了。』贾芹道：『我家里原人口多，费用大。』贾珍冷笑道：『你又支吾我，你在家庙里干的事，打量我不知道呢！你到了那里，自然是爷了，没人敢抗违你。你手里又有了钱，离着我们又远，你就为王称霸起来，夜夜招聚匪类赌钱，养老婆小子。这会子花得这个形象，你还敢领东西来？领不成东西，领一顿驮水棍去才罢！等过了年，我必和你二叔说，叫回你来。』（上梁不正下梁歪。顺便交代几句，见其从上烂到下的情形。）贾芹红了脸，不敢答言。人回：『北府王爷送了对联荷包来了。』贾珍听说，忙命贾蓉：『出去款待，只说我不在家。』（恭喜恭喜的过年背后，有多少黑暗、饥荒、争斗。）贾蓉去了。这里贾珍撵走贾芹，看着领完东西，回屋与尤氏吃毕晚饭，一宿无话。至次日更忙，不必细说。（贾珍亲自抓这些，却不见他抓别的重要的事。也算抓了芝麻，烂了西瓜。贾珍认出了一个贾芹，算是贾芹晦气。谁知道这些来领礼物的人中，还有谁与贾芹一样乃至更恶劣？）

已到了腊月二十九日了，各色齐备，两府中都换了门神、联对、挂牌，新油了桃符，焕然一新。宁国府从大门、仪门、大厅、暖阁、内厅、内三门、内仪门并内塞门，直到正堂，一路正门大开，两边阶下一色朱红大高烛，点的两条金龙一般。次日，由贾母有封诰者，皆按品级着朝服，先坐八人大轿，带领众人进宫朝贺行礼。领宴毕回来，便到宁府暖阁下轿。诸子弟有未随入朝者，皆在宁府门前排班伺候，然后引入宗祠。（行礼如仪。虚应故事。）

且说宝琴是初次进贾祠观看，一面细细留神，打量这宗祠：原来宁府西边另一个院子，黑油栅栏内五间大门，上面悬一匾，写着是『贾氏宗祠』四个字，旁书『特晋爵太傅前翰林掌院事王希献书』，两边有一副长联，写道：

肝脑涂地，兆姓赖保育之恩；

功名贯天，百代仰蒸尝之盛。（何等好话！却又何等脱离实际！）

也是王太傅所书。进入院中，白石甬路，两边皆是苍松翠柏，月台上设着古铜鼎彝等器。抱厦前面悬一块九龙金匾，写道：『星辉辅弼』。乃先皇御笔。两边一副对联，写道是：

勋业有光昭日月；功名无间及儿孙。（语言的最大罪孽：作伪。）

也是御笔。五间正殿前，悬一闹龙填青匾，写道是：『慎终追远』。旁边一副对联，写道是：

已后儿孙承福德；至今黎庶念荣宁。（儿孙承福德——坐享其成，一代不如一代。封建社会这种把功名富贵赏赐给功臣后代的做法，确实培养出一大批寄生虫，烂透了的货。这种做法的腐蚀性实在太大了。）

俱是御笔。里边灯烛辉煌，锦幛绣幕，虽列着些神主，却看不真。只见贾府人分了昭穆，排班立定。贾敬主祭，贾赦陪祭，贾珍献爵，贾琏贾琮献帛，宝玉捧香，贾菖贾菱展拜垫，守焚池。青衣乐奏，三献爵，兴拜毕，焚帛奠酒。礼毕，乐止，退出。（何等有礼，何等无耻。兴拜祭奠时就无一人惭愧吗？）众人围随贾母至正堂上。影前锦帐高挂，彩屏张护，香烛辉煌；上面正房中，悬着宁荣二祖遗像，皆是披蟒腰玉；两边还有几轴列祖遗像。

贾荇贾芷等从内仪门挨次列站，直到正堂廊下；槛外方是贾敬贾赦，槛内是各女眷。众家人小厮皆在仪门之外。每一道菜至，传至仪门，贾荇贾芷等便接了，按次传至阶下贾敬手中。贾蓉系长房长孙，独他随女眷在槛里，每贾敬捧菜至，传于贾蓉，贾蓉便传于他媳妇，又传于凤姐尤氏诸人，直传至供桌前，方传与王夫人；王夫人传与贾母，贾母方捧放在桌上。邢夫人在供桌之西，东向立，同贾母供放。直至将菜饭汤点酒茶传完，贾蓉方退出，归入贾芹阶位之首。（仪式隆重威严，程序一丝不苟，实际腐烂颓败，不过走一遍空洞的形式而已。）当时凡从『文』旁之名者，贾敬为首；下则从『玉』者，贾珍为首；再下从『草头』者，贾蓉为首；左昭右穆，男东女西；俟贾母拈香下拜，众人方一齐跪下，将五间大厅，三间抱厦，内外廊檐，阶上阶下，两丹墀内，花团锦簇，塞的无一些空地。鸦雀无闻，只听铿锵叮当，金铃玉珮微微摇曳之声，并起跪靴履飒沓之响。（场面极好，内容全无。反面文章正面做，写得何等辉煌漂亮。孕育着的却是没落、灾难。值得一切好场面而不求真务实者三思。）

一时礼毕，贾敬贾赦等便忙退出至荣府，专候与贾母行礼。尤氏上房地下，铺满红毡，当地放着象鼻三足泥鳅流金珐琅大火盆，正面炕上铺着新猩红毡，设着大红彩绣『云龙捧寿』的靠背、引枕、坐褥，外另有黑狐皮的袱子，搭在上面；大白狐皮坐褥。请贾母上去坐了。两边又铺皮褥，让贾母一辈的两三个妯娌坐了。这边横头排插之后小炕上，也铺了皮褥，让邢夫人等坐了。地下两面相对十二张雕漆椅上，都是一色灰鼠椅搭小褥，每一张椅下一个大铜脚炉，让宝琴等姐妹坐。（一切都符合强化上下尊卑秩序的要求。）尤氏用茶盘亲捧茶与贾母，贾蓉媳妇捧与众老祖母，然后尤氏又捧与邢夫人等，贾蓉媳妇又捧与众姊妹。凤姐李纨等只在地下伺候。（虽有表面的秩序，并无任何尽忠报效或守业振兴的思路、检讨、规划，并无一个有责任心有眼光的人才。这样的秩序归根结底是保持不住的。）

茶毕，邢夫人等便先起身来侍贾母吃茶。贾母与年老妯娌们闲话了两三句，便命看轿，凤姐儿忙上去搀起来。尤氏笑回说：『已经预备下老太太的晚饭。每年都不肯赏些体面，用过晚饭再过去。果然我们就不济凤丫头不成？』凤姐儿搀着贾母笑道：『老祖宗走罢。咱们家去吃去，别理他。』贾母笑道：『你这里供着祖宗，忙得什么儿似的，那里还搁得住我闹？况且我每年不吃，你们也要送去的；不如还送了来，我吃不了，留着明儿再吃，岂不多吃些？』（贾母毕竟不同，说什么都是举重若轻，儿戏一般。）说得众人都笑了。又吩咐他：『好生派妥当人夜里坐着看香火，不是大意得的。』尤氏答应了。一面走出来，至暖阁前，尤氏等闪过屏风，小厮们才领轿夫，请了轿出大门。尤氏亦随邢夫人等同至荣府。这里轿出大门，这一条街上，东一边设立着宁国公的仪仗执事乐器，来往行人皆屏退不从此过。（成龙配套的礼仪动静，一、享受，二、腻歪，三、空虚，四、虚伪，五、重复，最后成了反讽。）

一时来至荣府，也是大门正门一直开到里头。如今便不在暖阁下轿了，过了大厅，转弯向西，至贾母这边正厅上下轿。众人围随同至贾母正室之中，亦是锦裀绣屏，焕然一新。当地火盆内焚着松柏香、百合草。贾母归了坐，老嬷嬷来回：『老太太们来行礼。』贾母忙起身要迎，只见两三个老妯娌已进来了。大家挽手笑了一回，让了一回，吃茶去后，贾母只送至内仪门便回来。归了正坐，贾敬贾赦等领了诸子弟进来，贾母笑道：『一年家难为你们，不行礼罢。』一面男一起，女一起，一起一起俱行过了礼；左右设下交椅，然后又按长幼挨次归坐受礼。两府男女、小厮、丫鬟，亦按差役上、中、下行礼毕。然后散了押岁钱并荷包金银锞等物。摆上合欢宴来，男东女西归坐，献屠苏酒、合欢汤、吉祥果、如意糕毕。贾母起身，进内间更衣，众人方各散出。（带有团拜性质。只是那时极虚糜。）那晚各处佛堂灶王前焚香上供。王夫人正房院内设着天地纸马香供。大观园正门上挑着角灯，两旁高照，各处皆有路灯。上下人等，打扮的花团锦簇。一夜人声杂沓，语笑喧阗，爆竹起火，络绎不绝。

至次日五鼓，贾母等人按品大妆，摆全副执事进宫朝贺，兼祝元春千秋。领宴回来，又至宁府祭过列祖，方回来。受礼毕，便换衣歇息。所有贺节来的亲友，一概不会，只和薛姨妈李婶娘二人说话取便，或同宝玉宝钗等姊妹赶围棋摸牌作戏。（大人物也要活得轻松。）王夫人与凤姐天天忙着请人吃年酒，那边厅上与院内皆是戏酒，亲友络绎不绝。一连忙了七八日，才完了，早又元宵将近，宁荣二府皆张灯结彩。十一日是贾赦请贾母等，次日贾珍又请贾母，王夫人和凤姐儿也连日被人请去吃年酒，不能胜记。

至十五这一晚上，贾母便在大花厅上命摆几席酒，定一班小戏，满挂各色花灯，带领荣宁二府各子侄孙男孙媳等家宴。贾敬素不饮酒茹荤，因此不去请他，十七日祀祖已完，他便出城修养；就是这几日在家，也只静室默处，一概无闻，不在话下。（贾敬何苦如是之消极遁世？『红』的描写实际避开了他。）贾赦领了贾母之赏，告辞而去。贾母知他在此不便，也随他去了。贾赦到家中，与众门客赏灯吃酒，笙歌聒耳，锦绣盈眸，其取乐与这里不同。

这里贾母花厅之上摆了十来席，再席傍边设一几，几上设炉瓶三事，焚着御赐百合宫香；又有八寸来长、四五寸宽、二三寸高，点缀着山石的小盆景，俱是新鲜花卉；又有小洋漆茶盘放着旧窑十锦小茶杯，又有紫檀雕嵌的大纱透绣花草诗字的缨络。各色旧窑小瓶中，都点缀着『岁寒三友』『玉堂富贵』等鲜花。（随便写到摆设，也是成龙配套，气象不凡，令读者凡夫俗子张大嘴巴，艳羡赞叹得闭不上嘴。）上面两席是李婶娘薛姨妈坐，东边单设一席，乃是雕夔龙护屏矮足短榻，靠背、引枕、皮褥俱全。榻上设一个轻巧洋漆描金小几，几上放着茶碗、漱盂、洋巾之类，又有一个眼镜匣子。（讲究到极点，只能脆性瓦解，一垮到底。）

贾母歪在榻上，与众人说笑一回，又取眼镜向戏台上照一回，又说：『恕我老了骨头疼，容我放肆些，歪着相陪罢。』（贾母还是讲礼貌的，请求允许与原谅在先。）又命琥珀坐在榻上，拿着美人拳捶腿。榻下并不摆席面，只一张高几，设着高架缨络、花瓶、香炉等物，外另设一小高桌，摆着杯箸，傍边一席，命宝琴、湘云、黛玉、宝玉四人坐着。每馔果菜来，先捧给贾母看，喜则留在小桌上，尝一尝，仍撤了放在席上，只算他四人跟着贾母坐。（生活的程序化，实际是生活的异化。）下面方是邢夫人王夫人之位；下边便是尤氏、李纨、凤姐、贾蓉之妻；西边便是宝钗、李纹、李绮、岫烟、迎春姊妹等。

两边大梁上挂着联三聚五玻璃彩穗灯，每席前竖着倒垂荷叶一柄，柄上有彩烛插着。这荷叶乃是洋錾珐琅活信，可以扭转向外，将灯影逼住，照着看戏，分外真切。窗槅门户，一齐摘下，全挂彩穗各种宫灯。廊檐内外及两边游廊罩棚，将羊角、玻璃、戳纱、料丝，或绣、或画、或绢、或纸诸灯挂满。廊上几席，便是贾珍、贾琏、贾环、贾琮、贾蓉、贾芹、贾芸、贾菖、贾菱等。贾母也曾差人去请众族中男女，奈他们有年老的，懒于热闹；有家内没有人，又有疾病淹留，欲来竟不能来；有一等妒富愧贫，不肯来的；更有憎畏凤姐之为人，赌气不来的；更有羞手羞脚，不惯见人，不敢来的。因此族中虽多，女眷来者，不过贾蓝之母娄氏带了贾蓝来，男人只有贾芹、贾芸、贾菖、贾菱四个，现在凤姐麾下办事的来了。（并不得人心。自己关上门大讲排场，实际无人领情无人赏光，归根结底还是没有威风起来。）当下人虽不全，在家庭小宴，也算热闹的了。（热闹了，更加良莠不齐，泥沙俱下。冷清了，则是孤家寡人，穷途末路。）

（从贾母、凤姐这边来说，『差人去请众族中男女』，做得已经够好了，已经是讲团结，顾大局，惜老怜贫，屈尊俯就了。偏偏众人并不买账，隔阂既深，积怨又多，孤家寡人，关上门打肿脸充胖子。其实是惨兮兮的。）

当下又有林之孝之妻，带了六个媳妇，抬了三张炕桌，每一张上搭着一条红毡，放着选净一般大新出局的铜钱，用大红绳串穿着，每二人搭一张，共三张。林之孝家的叫将那两张摆至薛姨妈李婶娘的席下，将一张送至贾母榻下。贾母便说：『放在当地罢。』这媳妇素知规矩，放下桌子，一并将钱都打开，将红绳抽去，堆在桌上。（用尽心思，挖空心思，极尽喜庆吉祥之能事。福寿昌隆，时运永济，何等强烈的愿望！可惜最后不过是水中捞月而已。）

此时正唱《西楼·楼会》，这出将终，于叔夜赌气去了。那文豹便发科诨道：『你赌气去了。恰好今日正月十五，荣国府中老祖宗家宴，待我骑了这马，赶进去讨些果子吃，是要紧的。』说毕，引得贾母等都笑了。（即兴表演，即兴奉承，即兴讨乖。）薛姨妈等都说：『好个鬼头孩子，可怜见的！』凤姐便说：『这孩子才九岁了。』贾母笑说：『难为他说得巧！』说了一个『赏』字，早有三个媳妇已经手下预备下小笸箩，听见一个『赏』字，走上去，将桌上散堆钱，每人撮了一笸箩，走出来，向戏台说：『老祖宗，姨太太、亲家太太赏文豹买果子吃的。』说毕，向台一撒，只听『豁啷啷』，满台的钱响。（『豁啷啷』满台钱响，多么好听的音乐！）贾珍贾琏已命小厮们抬大笸箩的钱预备。未知怎生赏去，且听下回分解。

（一面是华丽雍容，庄严肃穆，一丝不苟，煞有介事，冠冕堂皇，排场讲究。一面是腐烂颓败，势孤力单，蝇营狗苟，鬼鬼祟祟，捉襟见肘。于是华丽中见空洞，庄严中见虚伪，严格中见呆木，堂皇中显露出无可挽回的颓势来。一支笔，既写了大面上的良辰美景气势煊赫，又顺手一击，暴露出了里子上的烂洞。内里空了烂了，只剩下了表面的行礼如仪。

表面的排场、秩序、氛围，实际的捉襟见肘。写完黑山庄乌庄头的缴租进贡，就是除夕——元宵的盛况，唱起了没落灭亡的合唱。）

第五十四回　史太君破陈腐旧套　王熙凤效戏彩斑衣

却说贾珍贾琏暗暗预备下大笸箩的钱，听见贾母说赏，忙命小厮们快撒钱，只听满台钱响，贾母大悦。（一副撤不完的家业的气势。）二人遂起身，小厮们忙将一把新暖银壶捧来，递与贾琏手内，随了贾珍趋至里面。贾珍先到李婶娘席上，躬身取下杯来，回身，贾琏忙斟了一盏；然后便至薛姨妈席上，也斟了。二人忙起身笑说：『二位爷请坐着罢了，何必多礼。』于是除邢王二夫人，满席都离了席，也俱垂手旁侍。贾珍等至贾母榻前，因榻矮，二人便屈膝跪了：贾珍在前捧杯，贾琏在后捧壶。虽只二人捧酒，那贾琮弟兄等却也是排班，按序一溜随着他二人进来；见他二人跪下，都一溜跪下。宝玉也忙跪下。（『红』写这些礼貌性举动、应对十分细致准确，堪称是以礼治家。唯礼变成了过场、形式，虚化为空洞无用。）湘云悄推他，笑道：『你这会子又帮着跪下做什么？有这样，你也去斟一巡酒岂不好？』宝玉悄笑道：『再等一会再斟去。』说着，等他二人斟完，起来，又与邢王二夫人斟过了。贾珍笑说：『妹妹们怎么样呢？』贾母等都说道：『你们去罢，他们倒便宜些。』说了，贾珍等方退出。

当下天未二鼓，戏演的是《八义观灯》八出，正在热闹之际。宝玉因下席往外走。贾母问：『往那里去？外头炮仗利害，仔细天上吊下火纸来烧着。』宝玉笑回说：『不往远去，只出去就来。』贾母命婆子们：『好生跟着。』于是宝玉出来，只有麝月秋纹几个小丫头随着。贾母因说：『袭人怎么不见？他如今也有些拿大了，单支使小女孩儿出来。』王夫人忙起身笑回道：『他妈前日没了，因有热孝，不便前头来。』贾母点头，又笑道：『跟主子，却讲不起这孝与不孝。若是他还跟我，难道这会子也不在这里？这些竟成了例了。』（厉害。看来老规矩更严格，之后慢慢松懈了。）凤姐儿忙过来笑回道：『今晚便没孝，那园子里头也须得看着灯烛花爆，最是担险的。这里一唱戏，园子里的谁不来偷瞧瞧，他还细心，各处照看。况且这一散后，宝兄弟回去睡觉，各色都是齐全的。若他再来了，众人又不经心，散了回去，铺盖也是冷的，茶水也不齐全，便各色都不便宜，所以我叫他不用来。（真有人替袭人说话。这也好比是『朝里有人好做官』了。）老祖宗要叫他来，我就叫他就是了。』

贾母听了这话，忙说：『你这话很是，比我想得周到，快别叫他了。但只他妈几时没了，我怎么不知道？』凤姐儿笑道：『前儿袭人去亲自回老太太的，怎么倒忘了？』贾母想了想，笑道：『想起来了。我的记性竟平常了。』众人都笑说：『老太太那里记得这些事。』贾母因又叹道：『我想着他从小儿伏侍我一场，又伏侍了云儿，末后给了个魔王，与他魔了这好几年。他又不是咱们家根生土长的奴才，没受过咱们什么大恩典。他娘没了，我想着要给他几两银子发送他娘，也就忘了。』凤姐儿道：『前儿太太赏了他四十两银子，就是了。』贾母听说，点头道：『这还罢了。正好前儿鸳鸯的娘也死了，我想他老子娘都在南边，我也没叫他家去守孝。如今他两处全礼，何不叫他二人一处作伴去。』又命婆子拿些果子菜馔点心之类与他二人吃去。（时刻关心亲信奴才。）琥珀笑道：『还等这会子，他早就去了。』说着，大家又吃酒看戏。

且说宝玉一径来至园中，（是专门来看望袭人么？）众婆子见他回房，便不跟去，只坐在园门里茶房内烤火，和管茶的女人偷空饮酒斗牌。宝玉至院中，虽是灯光灿烂，却无人声。麝月道：『他们都睡了不成？咱们悄悄进去吓他们一跳。』于是大家蹑足潜踪，进了镜壁一看，只见袭人和一个人对歪在地炕上，那一头有三两个老嬷嬷打盹。宝玉只当他两个睡着了，才要进去，忽听鸳鸯叹了一声，说道：『天下事可知难定。论量，你单身在这里，父母在外头，每年他们东去西来，没个定准，想来你是再不能送终的人；偏生今年就死在这里，你倒出去送了终。』（鸳鸯终有嗟叹。联系上文『鸳鸯的娘也死了』来读，便知她对自己的奴才地位终于有了遗憾之心。）袭人道：『正是，我也想不到能够看着父母殡殓。回了太太，又赏了四十两银子，这倒也算养我一场，我也不敢妄想了。』宝玉听了，忙转身悄向麝月等道：『谁知他也来了。我这一进去，他又赌气走了，不如咱们回去罢，让他两个清清净净的说一回。袭人正一个闷着，幸他来得好。』说着，仍悄悄出来。宝玉便走过山石之后去，站着撩衣。麝月秋纹皆站住，背过脸去，口内笑说：『蹲下再解小衣，仔细风吹了肚子。』（照料至此，『少爷』至此。）后面两个小丫头知是小解，忙先出去茶房内预备水去了。

这里宝玉刚过来，只见两个媳妇迎面来了，又问：『是谁？』秋纹道：『宝玉在这里呢，大呼小叫，仔细吓着罢。』那媳妇们忙笑道：『我们不知，大节下来惹祸了。姑娘们可连日辛苦了！』说着，已到跟前。麝月等问：『手里拿着什么？』媳妇道：『是老太太赏金花二位姑娘吃的。』秋纹笑道：『外头唱的是《八义》，没唱《混元盒》，那里又跑出「金花娘娘」来了。』宝玉命：『揭起来我瞧瞧。』秋纹麝月忙上去将两个盒子揭开，两个媳妇忙蹲下身子。宝玉看了两个盒内都是席上所有的上等果品茶点，点了一点头就走。麝月等忙胡乱掷了盒盖跟上来。宝玉笑道：『这两个女人倒和气，会说话。他们天天乏了，倒说你们连日辛苦，倒不是那矜功自伐的。』（『矜功自伐』云云，该不是暗指李嬷嬷等人吧？）麝月道：『这两个就好，那不知理的是太不知理。』宝玉道：『你们是明白人，担待他们是粗夯可怜的人就完了。』一面说，一面就走出了园门。

那几个婆子，虽吃酒斗牌，却不住出来打探，见宝玉出来，也都跟上。到了花厅后廊上，只见那两个小丫头，一个捧着个小盆，又一个搭着手巾，又拿着沤子小壶儿，在那里久等。秋纹先忙伸手向盆内试了试，说道：『你越大越粗心了，那里弄得这冷水？』（『服务』至此，只觉啰嗦无聊。）小丫头笑道：『姑娘瞧瞧，这个天，我怕水冷，倒的是滚水，这还冷了。』正说着，可巧见一个老婆子提着一壶滚水走来，小丫头便说：『好奶奶，过来给我倒上些。』那婆子道：『姐姐，这是老太太泡茶的，劝你去去舀了罢。那里就走大了脚呢。』秋纹道：『凭你是谁的，你不给我，管把老太太的茶吊子倒了洗手！』那婆子回头见了秋纹，忙提起壶来倒了些。秋纹道：『够了，你这么大年纪，也没见识，谁不知是老太太的！要不着的就敢要了！』婆子笑道：『我眼花了，没认出这姑娘来。』（婆子提出老太太来，本是『镇了』。不想宝二爷就在等着使，宝二爷的面子和地位决定了他有权分享老太太的热水。这也类似『护官符』的事理。如来要拜，观音韦陀弥勒以及十八罗汉，都是得罪不得的。为奴难！）宝玉洗了手，那小丫头子拿小壶儿倒了沤子在他手内，宝玉洗了手。秋纹麝月也趁热水洗了一回，跟进宝玉来。

宝玉便要了一壶暖酒，也从李婶娘斟起。他二人也笑让坐。贾母便说：『他小人家儿，让他斟去，大家倒要干过这杯。』说着，便自己干了。邢王二夫人也忙干了，薛姨妈李婶娘也只得干了。贾母又命宝玉道：『你连姐姐妹妹的一齐斟上，不许乱斟，都要叫他干了。』宝玉听说，答应着，一一按次斟上了。至黛玉前，偏他不饮，拿起杯来，放在宝玉唇边。宝玉一气饮干，黛玉笑说：『多谢。』宝玉替他斟上一杯。凤姐儿便笑道：『宝玉别喝冷酒，仔细手颤，明儿写不的字，拉不的弓。』（出屋怕撞上炮仗皮，小解怕受风，洗手怕水凉，喝酒怕冷，这样的少爷岂不是废人一个！）宝玉道：『没有吃冷酒。』凤姐儿笑道：『我知道没有，不过白嘱咐你。』然后宝玉将里面斟完，只除贾蓉之妻是命丫鬟们斟的；复出至廊下，又给贾珍等斟了。坐了一回，方进来，仍归旧坐。一时上汤之后，又接着献元宵。贾母便命：『将戏暂歇，小孩子们可怜见的，也给他们些滚汤热菜的吃了再唱。』又命将各样果子元宵等物拿些与他们吃。

一时歇了戏，便有婆子带了两个门下常走的女先儿进来，放了两张杌子在那一边，贾母命他们坐了，将弦子琵琶递过去。贾母便问李薛二人：『听什么书？』他二人都回说：『不拘什么都好。』贾母便问：『近来可又添些什么新书？』两个女先儿回说：『倒有一段新书，是残唐五代的故事。』贾母问是何名，女先儿回说：『这叫做《凤求鸾》。』贾母道：『这个名字倒好，不知因什么起的？你先说大概，若好再说。』女先儿道：『这书上乃是说残唐之时，有一位乡绅，本是金陵人氏，名唤王忠，曾做两朝宰辅，如今告老还家，膝下只有一位公子，名唤王熙凤。』（令人想起警幻仙子的妹妹表字可卿来。）众人听了，笑将起来。贾母笑道：『这不重了我们凤丫头了。』媳妇忙上去推他说：『是二奶奶的名字，少混说。』贾母道：『你只管说罢。』女先儿忙笑着站起来说：『我们该死了！不知是奶奶的讳。』凤姐儿笑道：『怕什么！你说罢。重名重姓的多着呢。』女先儿又说道：『那年王老爷打发了王公子上京赶考，那日遇了大雨，到了一个庄子上避雨。谁知这庄上也有个乡绅，姓李，与王老爷是世交，便留下这公子住在书房里。这李乡绅膝下无儿，只有一位千金小姐。这小姐芳名叫做雏鸾，琴棋书画，无所不通。』

贾母忙道：『怪道叫做《凤求鸾》。不用说了，我已经猜着了：自然是王熙凤要求这雏鸾小姐为妻了。』女先儿笑道：『老祖宗原来听过这回书。』众人都道：『老太太什么没听见过！就是没听见，也猜着了。』贾母笑道：『这些书就是一套子，左不过是些佳人才子，最没趣儿。把人家女儿说的这么坏，还说是「佳人」，编的连影儿也没有了。开口都是乡绅门第，父亲不是尚书，就是宰相。一个小姐，必是爱如珍宝。这小姐必是通文知礼，无所不晓，竟是「绝代佳人」，只见了一个清俊男人，不管是亲是友，想起他的「终身大事」来，父母也忘了，书也忘了，鬼不成鬼，贼不成贼，那一点儿像个佳人？就是满腹文章，做出这样事来，也算不得是佳人了。（贾母也是外圆内方。平常说话做事相当随和变通，并不教条。遇到女人的道德戒律这样她所认为的「原则问题」上，她毫不客气，没有商量余地。）比如一个男人家，满腹的文章，去做贼，难道那王法就看他是个才子，就不入贼情一案了不成？可知那编书的是自己堵自己的嘴。（事事合乎礼行规范，就没有戏了，要听戏，就破坏了礼行规范。各时各地，都有防文艺防戏剧的观念和理论。）再者：既说是世宦书香大家小姐，都知礼读书，连夫人都知书识礼，就是告老还家，自然大家人口奶奶丫鬟伏侍小姐的人也不少，怎么这些书上，凡有这样的事，就只小姐和紧跟的一个丫头？你们自想想，那些人都是管做什么的，可是前言不答后语不是？』众人听了，都笑说：『老太太这一说，是谎都批出来了。』贾母笑道：『有个原故：编这样书的人，有一等妒人家富贵的，或者有求不遂心，所以编出来遭塌人家。再有一等人，他自己看了这些书，看邪了，想着得一个佳人才好，所以编出来取乐儿。何尝他知道那世宦读书家的道理！（贾母的创作发生学创作心理学虽不友好，却不无些许道理，说明了创作特别是虚构的心理补偿功能。）别说那书上那些世宦书礼大家，如今眼下拿着咱们这中等人家说起，也没那样的事。别叫他诌掉了下巴胳了罢！所以我们从不许说这些书，连丫头们也不懂这些话。（贾母开始觉得外界有点不妙，此前还没有什么这方面的描写。）这几年我老了，他们姊妹们住的远，我偶然闷了，说几句听听，他们一来，就忙着止住了。』（从她的动机来说，自然也是『关心保护下一代』。）李薛二人都笑说：『这正是大家子的规矩。连我们家也没有这些杂话叫孩子们听见。』

或谓老太太这一番道理是警告林黛玉的。不排除这种可能性。但也不排除她借机宣传与捍卫她的老规矩与老传统的动机。一上来就袭人守孝问题，老太太已有一种规矩不如过去严了的慨叹与不满。她似乎已有一种批评一下什么的意思。终于进行了文艺批评。

通过批评文艺来理论一下思想观念，不直接点什么名什么事，不失为一种好办法。

凤姐儿走上来斟酒，笑道：『罢，罢！酒冷了，老祖宗喝一口润润嗓子再辨谎。这一回就叫做「辨谎记」，就出在本朝，本地，本年，本月，本日，本时。老祖宗「一张口难说两家话」，「花开两朵，各表一枝」，「是真是谎且不表，再整观灯看戏的人」。老祖宗且让这二位亲戚吃杯酒、看两出戏着，再从逐朝话言掰起，如何？』（凤姐儿言谈极高明。这一段似嫌过分了些。）一面说，一面斟酒，一面笑。未说完，众人俱已笑倒了。两个女先儿也笑个不住，都说：『奶奶好刚口！奶奶要一说书，真连我们吃饭的地方都没了。』

薛姨妈笑道：『你少兴头些！外头有人，比不得往常。』凤姐儿笑道：『外头只有一位珍大哥哥，我们还是论哥哥妹妹，从小儿一处淘气淘了这么大。这几年因做了亲，我如今立了多少规矩了。便不是从小儿兄妹，只论大伯子小婶儿，那《二十四孝》上「斑衣戏彩」，他们不能来戏彩引老祖宗笑一笑，我这里好容易引得老祖宗笑一笑，多吃了一点东西，大家喜欢，都该谢我才是，难道反笑我不成？』（王熙凤的知识也还够用。）贾母笑道：『可是这两日我竟没有痛痛的笑一场，倒是亏他才一路说，笑的我这里痛快了些，我再吃钟酒。』吃着酒，又命宝玉：『来敬你姐姐一杯。』凤姐儿笑道：『不用他敬，我讨老祖宗的寿罢。』说着便将贾母的杯拿起来，将半杯剩酒吃了，（所有的宠臣都兼有小丑功能。莎士比亚戏剧中的王者，也有这样的宠丑陪伴。）将杯递与丫鬟，另将温水浸的杯换一个上来。于是各席上的都撤去，另将温水浸着的代换，斟了新酒上来，然后归坐。

女先儿回说：『老祖宗不听这书，或者弹一套曲子听听罢。』贾母道：『你们两个对一套「将军令」罢。』（如西方名言，音乐是没有罪恶感的。）二人听说，忙合弦按调拨弄起来。贾母因问：『天有几更了？』众婆子忙回：『三更了。』贾母道：『怪道寒浸浸起来。』（夜寒袭人，有一种没落感。）早有众人丫鬟拿了添换的衣裳送来。王夫人起身陪笑说道：『老太太不如挪进暖阁里地炕上，倒也罢了。这二位亲戚也不是外人，我们陪着就是了。』贾母听说，笑道：『既这样说，不如大家都挪进去，岂不暖和？』王夫人道：『恐里头坐下不。』贾母道：『我有道理：如今也不用这些桌子，只用两三张并起来，大家坐在一处，挤着，又亲热，又暖和。』（正颜厉色已罢，不必拘礼。）众人都道：『这才有趣儿。』

说着，便起了席。众媳妇忙撤去残席，里面直顺并了三张大桌，又添换了果馔摆好。贾母便说：『都别拘礼，听我分派你们就坐才好。』说着，便让薛李正面上坐，自己西向坐了，叫宝琴、黛玉、湘云三人皆紧依左右坐下，向宝玉说：『你挨着你太太。』于是邢夫人王夫人之中夹着宝玉。宝钗等姐妹在西边，挨次下去，便是娄氏带着贾蓝；尤氏李纨夹着贾兰；下面横头便是贾蓉之妻。（贾蓉之妻，一直没有姓名。连极不相干人物、昙花一现人物也有名姓，独不给贾蓉之妻起名，不知何故。可卿之后，再无贾蓉妻矣。）贾母便说：『珍阿哥带着你兄弟们去罢，我也就睡了。』贾珍等忙答应，又都进来听吩咐。贾母道：『快去罢，不用进来。才坐好了，又都起来。你快歇着罢，明儿还有大事呢。』贾珍忙答应了，又笑道：『留下蓉儿斟酒才是。』贾母笑道：『正是，忘了他。』贾珍应了一个『是』，便转身带领贾琏等出来。二人自是欢喜，便命人将贾琮贾璜各自送回家去，便约了贾琏去追欢买笑，不在话下。

这里贾母笑道：『我正想着，虽然这些人取乐，必得重孙一对双全的在席上才好。蓉儿这可全了。蓉儿！和你媳妇坐在一处，倒也团圆了。』因有家人媳妇呈上戏单，贾母笑道：『我们娘儿们正说得兴头，又要吵起来。况且那孩子们熬夜，怪冷的。也罢，且叫他们歇歇，把咱们的女孩子们叫他来，就在这台上唱两出罢，也给他们瞧瞧。』（随时发布旨意，怎么想怎么说怎么圣明有理。）媳妇子们听了，答应出来，忙的一面着人往大观园去传人，一面二门口去传小厮们伺候。小厮们忙至戏房，将班中所有大人一概带出，只留下小孩子们。一时，梨香院的教习带了文官等十二人从游廊角门出来，婆子们抱着几个软包，因不及抬箱，料着贾母爱听的三五出戏的彩衣包了来。婆子们带了文官等进去见过，只垂手站着。

贾母笑道：『大正月里，你师父也不放你们出来逛逛？你们如今唱什么？才刚八出《八义》，闹的我头疼，咱们清淡些好。你瞧瞧，薛姨太太，这李亲家太太，都是有戏的人家，不知听过多少好戏的，这些姑娘们都比咱们家的姑娘见过好戏，听过好曲子。如今这小戏子又是那有名玩戏的人家的班子，虽是小孩子，却比大班子还强。（有戏的人家，就是豢养了戏奴的人家。）咱们好歹别落了褒贬！少不得弄个新样儿的：叫芳官唱一出《寻梦》，只用箫和笙笛，

余者一概不用。』文官笑道：『老祖宗说的是。我们的戏，自然不能入姨太太和亲家太太姑娘们的眼，不过听我们一个发脱口齿，再听个喉咙罢了。』贾母笑道：『正是这话了。』李婶娘薛姨妈喜的笑道：『好个灵透孩子！你也跟着老太太打趣我们！』贾母笑道：『我们这原是随便的玩意儿，又不出去做买卖，所以竟不大合时。』说着，又叫葵官：『唱一出《惠明下书》，也不用抹脸。只用这两出，叫他们二位太太听个助意儿罢了。若省了一点儿力，我可不依。』（戏剧也是奴才服务之一种。）

文官等听了出来，忙去扮演上台，先是『寻梦』，次是『下书』。众人鸦雀无闻。薛姨妈笑道：『实在戏也看过几百班，从没见过只用箫管的。』贾母道：『先有，只是像方才《西楼·楚江情》一支，多有小生吹箫合的。这合大套的实在少。这也在人讲究罢了，这算什么出奇？』指湘云道：『我像他这么大的时候儿，他爷爷有一班小戏，偏有一个弹琴的，凑了《西厢记》的《听琴》，《玉簪记》的《琴挑》，《续琵琶》的《胡笳十八拍》，竟成了真的了。（百科全书进入了戏剧科。）比这个更如何？』众人都道：『那更难得了。』贾母于是叫过媳妇们来，吩咐文官等叫他们吹弹一套『灯月圆』。媳妇们领命而去。

当下贾蓉夫妻二人捧酒一巡。凤姐儿因贾母十分高兴，便笑道：『趁着女先儿们在这里，不如咱们传梅，行一套『春喜上眉梢』的令，如何？』贾母笑道：『这是个好令，正对时景。』忙命人取了黑漆铜钉花腔令鼓来，与女先儿们击着。席上取了一枝红梅，贾母笑道：『到了谁手里住了鼓，吃一杯，也要说些什么才好。』凤姐儿笑道：『依我说，谁像老祖宗要什么有什么呢。我们这不会的，岂不没意思。依我说，也要雅俗共赏。不如谁住

了，谁说个笑话儿罢。』（如今喝酒，则叫『段子』。）众人听了，都知道他素日善说笑话，最是肚内有无限新鲜趣令；今儿如此说，不但在席的诸人喜欢，连地下伏侍的老小人等无不欢喜。那小丫头子们都忙去找姐姐唤妹妹的，告诉他们：『快来听，二奶奶又说笑话儿了。』众丫头子们便挤了一屋子。

于是戏完乐罢，贾母将些汤细点果与文官等吃去，便命响鼓。那女先儿们都是惯熟的，或紧或慢，或如残漏之滴，或如迸豆之急，或如惊马之驰，或如疾电之光，忽然暗其鼓声，那梅方递至贾母手中，鼓声恰住，大家哈哈大笑。贾蓉忙上来斟了一杯，众人都笑道：『自然老太太先喜了，我们才托赖些喜。』贾母笑道：『这酒也罢了，只是这笑话儿倒有些难说。』众人都说：『老太太的比凤姑娘说的还好，赏一个，我们也笑一笑。』贾母笑道：『并没有新鲜招笑儿的，不少得老脸皮厚的说一个罢。』因说道：『一家子养了十个儿子，娶了十房媳妇儿。惟有第十房媳妇儿聪明伶俐，心巧嘴乖，公婆最疼，成日家说那九个不孝顺，这九个媳妇儿委屈，便商议说「咱们九个心里孝顺，只是不像那小蹄子儿嘴巧，所以公公婆婆只说他好。这委屈向谁诉去？」有主意的说道：「咱们明儿到阎王庙去烧香，和阎王爷说去，问他一问：叫我们托生为人，怎么单单给那小蹄子儿一张乖嘴，我们都入了夯嘴里头。」那八个听了，都喜欢说：「这个主意不错。」第二日，便都往阎王庙里来烧香。九个都在供桌底下睡着了。九个魂专等阎王驾到。左等不来，右等也不到。正着急，只见孙行者驾着觔斗云来了，看见九个魂，便要拿金箍棒打来。吓得九个魂忙跪下央求。孙行者问起原故来，九个人忙细细的告诉了他。孙行者听了，把脚一跺，叹了一口气道：「这原故幸亏遇见我，等着阎王来了，他也不得知道。」九个人听了，就求说：「大圣发个慈悲，我们就好了。」孙行者笑道：「却也不难。那日你们妯娌十个托生时，可巧我到阎王那里去，因为撒了一泡尿在地下，你那个小婶儿便吃了。你们如今要伶俐嘴乖，有的是尿，再撒泡你们吃就是了。」』（贾母笑话固然亲热，却也不无讽喻。）

说毕，大家都笑起来。凤姐儿笑道：『好的呀！幸而我们都是夯嘴夯腮的，不然，也就吃了猴儿尿了。』（凤姐儿其实跟着一笑就对了，不必再描。）尤氏娄氏都笑向李纨道：『咱们这里头谁是吃过猴儿尿的，别装没事人儿。』薛姨妈笑道：『笑话儿在对景就发笑。』说着，又击起鼓来。小丫头子们只要听凤姐儿的笑话，便悄悄的和女先儿说明，以咳嗽为记。须臾传至两遍，刚到了凤姐儿手里，小丫头子们故意咳嗽，女先儿便住了。众人齐笑道：『这可拿住他了。快吃了酒，说一个好的罢。别太逗人笑得肠子疼。』（人们有两方面的规则，一个是称赞能言善辩者，一个是嘲讽花言巧语者。）

凤姐儿想一想，笑道：『一家子也是过正月节，合家赏灯吃酒，真真的热闹非常。祖婆婆、太婆婆、媳妇、孙子媳妇、重孙子媳妇、亲孙子媳妇、侄孙子、重孙子、灰孙子、滴里搭拉的孙子、孙女儿、外孙女儿、姨表孙女儿、姑表孙女儿，……嗳哟哟，真好热闹！』（在相声中这种罗列叫做『贯口儿』。）众人听他说着，已经笑了，都说：『听这数贫嘴的，又不知要编派那一个呢！』尤氏笑道：『你要招我，我可撕你的嘴。』凤姐儿起身拍手笑道：『人家这里费力，你们紧着混，我就不说了。』贾母笑道：『你说你的，底下怎么样？』凤姐儿想了一想，笑道：『底下就团团的坐了一屋子，吃了一夜酒，就散了。』（这里有没有说出的话。）

众人见他正言厉色的说了，也都再无有别话，怔怔的还等往下说，只觉他冰冷无味的就住了。史湘云看了他半日。凤姐儿笑道：『再说一个过正月节的：几个人拿着房子大的炮仗往城外放去，引了上万的人跟着瞧去。有一个性急的人等不得，就偷着拿香点着。只见「噗哧」的一声，众人哄然一笑，都散了。这抬炮仗的人抱怨卖炮仗的捍的不结实，没等放就散了。』（这个故事有一种不祥感、惨淡感。）湘云道：『难道本人没听见？』凤姐儿道：『本人原是个聋子。』众人听说，想了一回，不觉失声都大笑起来。又想着先前那一个没完的，问他道：『先那一个到底怎么样？也该说完了。』凤姐儿将桌子一拍，道：『好罗唆！到了第二日是十六日，年也完了，节也完了，我看人忙着收东西还闹不清，那里还知道底下事了？』众人听说，复又笑起来。凤姐儿笑道：『外头已经四更多了，依我说：老祖宗也乏了，咱们也该「聋子放炮仗——散了」罢。』（「散了吧，散了吧」，这声音从此不绝于篇。）尤氏等用手帕握着嘴，笑的前仰后合，指他说道：『这个东西真会数贫嘴。』贾母笑道：『真真这凤丫头，越发贫嘴了。』

凤姐讲的第一个『笑话』甚奇。『正言厉色』，是一奇。有始无终，是二奇。讲完『聋子放炮仗』的故事大家追问，又不知所云地讲了几句，是三奇。凤姐突然卡壳，讲不出笑话来了？讲着讲着突然觉得不好，失言了，便来了个紧刹车？另有深意？寓意深刻？反正是虎头蛇尾，有始无终。留下了令人回味的空白。

一面说，一面吩咐道：『他提起炮仗来，咱们也把烟火放了，解解酒。』贾蓉听了，忙出去，带着小厮们，就在院子内安下屏架，将烟火设吊齐备。这烟火俱系各处进贡之物，虽不甚大，却极精致，各色故事俱全，夹着各色花炮。黛玉禀气虚弱，不禁『劈拍』之声，贾母便搂他在怀内。薛姨妈便搂湘云，湘云笑道：『我不怕。』宝钗笑道：『他专爱自己放大炮仗，还怕这个呢。』王夫人便将宝玉搂入怀内。凤姐笑道：『我们是没人疼的。』尤氏笑道：『有我呢，我搂着你。你这会子又撒娇儿了，听见放炮仗，就像「吃了蜜蜂儿屎」的，今儿又轻狂了。』凤姐儿笑道：『等散了，咱们园子里放去。我比小厮们还放得好呢。』

说话之间，外面一色色的放了又放。又有许多『满天星』『九龙入云』『平地一声雷』『飞天十响』之类的零星小炮仗。（放个炮仗也有千姿百样。）放罢，然后又命小戏子打了一回『莲花落』，撒得满台的钱，那些孩子们满台的抢钱取乐。（撒钱取乐至今美国兵有，漓江上的外国游客也有，深感受辱的爱国者也有。）上汤时，贾母说：『夜长，不觉得有些饿了。』凤姐忙回说：『有预备的鸭子肉粥。』贾母道：『我吃些清淡的罢。』凤姐儿忙道：『也有枣儿熬的粳米粥，预备太太们吃斋的。』（粥可以只吃清淡的，写粥则须把大荤大腥的都写上。）贾母道：『倒是这个还罢了。』说着，已经撤去残席，内外另设各种精致小菜。大家随意吃了些，用过漱口茶，方散。

十七日一早，又过宁府行礼，伺候掩了祠门，收过影像，方回来。此日便是薛姨妈家请吃年酒。贾母连日觉得身上乏了，坐了半日，回来了。自十八日以后，亲友来请，或来赴席的，贾母一概不会，有邢夫人、王夫人、凤姐三人料理。（贾母动辄觉得乏了，便歇息数日，这是很好的养生之道。）连宝玉只除王子腾家去了，余者亦皆不去，只说是贾母留下解闷，闲言不提。

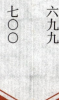

当下元宵已过，凤姐突然小产了，合家惊慌。要知端的且听下回分解。

消寒消夜，快乐中令人感到疲倦乃至清冷。特别是凤姐的『笑话』，欲笑不能，神龙见首不见尾，令人狐疑，令人不安。若有深意，文章后面似又有文章。『红』书整个写得相当实在，过年、过元宵节诸事历历在目。但作者没有忘记非纪实的玄虚手段。贾母讲故事，略有逗笑；凤姐讲故事，则显冷清平淡，这样的声口，竟像契诃夫戏剧《樱桃园》里的没落地主，节庆活动与享受中，见乏，见淡而无味，见悲凉，见无常与失神。

第五十五回　辱亲女愚妾争闲气　欺幼主刁奴蓄险心

且说荣府中刚将年事忙过，凤姐儿因年内年外操劳太过，一时不及检点，便小月了，不能理事，天天两三个太医用药。凤姐儿自恃强壮，虽不出门，然筹画计算，想起什么事来，便命平儿去回王夫人。任人谏劝，他只不听。王夫人便觉失了膀臂，一人能有多少精神？凡有了大事，便自己主张；将家中琐碎之事，一应都暂令李纨协理。李纨本是个尚德不尚才的，未免逞纵了下人，王夫人便命探春合同李纨裁处，只说过了一月，凤姐将息好了，仍交与他。谁知凤姐禀赋气血不足，兼年幼不知保养，平生争强斗智，心力更亏，故虽系小月，竟着实亏虚下来。一月之后，又添了下红之症。他虽不肯说出来，众人看他面目黄瘦，便知失于调养。王夫人只令他好生服药调养，不令他操心。他自己也怕成了大症，遗笑于人，便想偷空调养，恨不得一时复旧如常。（中国式的整体思维模式：把一个人的健康状况与其秉性、人格、处境紧密联系起来评析。这是其高明处，也是其模糊乃至不着边际处。）谁知服药调养，直到三月间，才渐渐的起复过来，下红也渐渐止了。此是后话。

如今且说王夫人见他如此，探春与李纨暂难谢事，园中人多，又恐失于照管，特请了宝钗来，托他各处小心。因嘱咐他：『老婆子们不中用，得空儿吃酒斗牌，白日里睡觉，夜里斗牌，我都知道的。凤丫头在外头，他们还有个怕惧，如今他们又该取便了。好孩子，你还是个妥当人。你兄弟妹妹们又小，我又没工夫，你替我辛苦两天，照看照看。凡有想不到的事，你来告诉我，别等老太太问出来，我没话回。那些人不好了，你只管说；他们不听，你来回我。别弄出大事来才好。』宝钗听说，只得答应了。

时届季春，黛玉又犯了咳嗽；湘云又因时气所感，亦病卧于蘅芜院，一天医药不断。（疾病亦是『红』中一个重要角色。生老病死，病居其一。病是命运，更是命运的征兆，是主观欲望与意志的一个强有力的对立物。）探春同李纨相住间隔，二人近日同事，不比往年，来往回话人等亦甚不便，故二人议定，每日早晨，皆到园门口南边的三间小花厅上去会齐办事；吃过早饭，于午错方回。这三间厅，原系预备省亲之时众执事太监起坐之处，故省亲以后，也用不着了，每日只有婆子们上夜。如今天已和暖，不用十分修饰，只不过略略的陈设了，便可他二人起坐。这厅上也有一处匾，题着『补仁谕德』四字；家下俗呼皆只叫『议事厅儿』。如今他二人每日卯正至此，午正方散，凡一应执事的媳妇等来往回话者，络绎不绝。众人先听见李纨独办，各各心中暗喜，以为李纨素日是个厚道多恩无罚的，自然比凤姐儿好搪塞；便添了一个探春，都想着不过是个未出闺阁的年轻小姐，且素日也最平和恬淡，因此都不在意，比凤姐儿前便懈怠了许多。只三四日后，几件事过手，渐觉探春精细处不让凤姐，只不过是言语安静、性情和顺而已。（这就证明，凤姐是必要的与合理的。）

这么大一个家，这么多头绪，谁治得了呢？管理危机比财政危机还危机。关键还是人的问题。

可巧连日有王公侯伯世袭官员十几处，皆系荣宁非亲即世交之家，或有升迁，或有黜降，或有婚丧红白等事，王夫人贺吊迎送，应酬不暇，前边更无人照管。他二人便一日皆在厅上起坐，宝钗便一日在上房监察，至王夫人回方散。每于夜间针线暇时，临寝之先，坐了轿，带领园中上夜人等，各处巡察一次。他三人如此一理，更觉比凤姐儿当权时倒更谨慎了些。（由凤姐的铁腕管理变成李、探、钗的『三套马车』体制。）因而里外下人，都暗中抱怨说：『刚刚的倒了一个「巡海夜叉」，又添了三个「镇山太岁」，越发连夜里偷着吃酒玩的工夫都没了。』（专制的另一面是无政府主义倾向。）

这日王夫人正是往锦乡侯府去赴席，李纨与探春，早已梳洗，伺候出门去后，回至厅上坐了，刚吃茶时，只见吴新登的媳妇进来回说：『赵姨娘的兄弟赵国基昨日出了事，已回过老太太、太太，说知道了，叫回姑娘来。』说毕，便垂手旁侍，再不言语。彼时来回话者不少，都打听他二人办事如何：若办得妥当，大家则安个畏惧之心；若少有嫌隙不当之处，不但不畏服，一出二门，还说出许多笑话来取笑。（即使在严格的等级制度下面，仍然存在着事实上的自下而上的监督。在上者不可不慎。或者可以说是，存在着随时犯上、欺上，直至作乱的危险。故居高位者战战兢兢……）吴新登的媳妇心中已有主意：若是凤姐前，他便早已献勤，说出许多主意，又查出许多旧例来，任凤姐拣择施行；如今他藐视李纨老实，探春是年轻的姑娘，所以只说出这一句话来，试他二人有何主见。探春便问李纨，李纨想了一想，便道：『前日袭人的妈死了，听见说赏银四十两，这也赏他四十两罢了。』吴新登的媳妇听了，忙答应了个『是』，接了对牌就走。探春道：『你且回来。』吴新登家的只得回来。探春道：『你且别支银子。我且问你：那几年老太太屋里的几位老姨奶奶，也有家里的，也有外头的，有两个分别。家里的若死了人是赏多少？外头的死了人是赏多少？你且说两个我们听听。』

一问，吴新登家的便都忘了，忙陪笑回说道：『这也不是什么大事，赏多赏少，谁还敢争不成？』探春笑道：『这话胡闹。依我说，赏一百倒好。若不按理，别说你们笑话，明儿也难见你二奶奶。』（例渐渐成为制度。按例办的好处是避免纷争。）吴新登家的笑道：『既这么说，我查旧账去，此时却不记得。』探春笑道：『你办事办老了的，还不记得，倒来难我们。你素日回你二奶奶，也现查去？若有这道理，凤姐姐还不算利害，也就算是宽厚了。还不快找了来我瞧。再迟一日，不说你们粗心，倒像我们没主意了。』（探春精细，注意与旧制的衔接。新接一事，最忌否定一切，自我做古。）吴新登家的满面通红，忙转身出来。众媳妇们都伸舌头。这里又回别的事。一时吴家的取了旧账来，探春看时，两个家里的赏过皆二十四两，两个外头的皆赏过四十两。外还有两个外头的：一个赏过一百两，一个赏过六十两。这两笔底下皆有原故：一个是隔省迁父母之柩，外赏六十两；一个是现买葬地，外赏二十两。探春便递与李纨看了，探春便说：『给他二十两银子，把这账留下我们细看。』吴新登家的去了。

忽见赵姨娘进来，李纨探春忙让坐，赵姨娘开口便说道：『这屋里的人，都踹下我的头去还罢了，姑娘，你也想一想，该替我出气才是。』（赵姨娘一张口便出彩，不伦不类。同样的事情，换一个说法做法，也可能收到不同的效果。赵姨娘粗鄙、赤裸裸，因而无法与探春对话。）一面说，一面便眼泪鼻涕哭起来。探春忙道：『姨娘这话说谁，我竟不懂。谁踹姨娘的头？说出来，我替姨娘出气。』赵姨娘道：『姑娘现踹我，我告诉谁去！』探春听说，忙站起来说道：

『我并不敢。』李纨也忙站起来劝。赵姨娘道：『你们请坐下，听我说。我这屋里熬油似的熬了这么大年纪，又有你兄弟，这会子连袭人都不如了，我还有什么脸？连你也没脸面，别说是我呀！』

探春笑道：『原来为这个。我说我并不敢犯法违礼。』一面便坐了，拿账翻与赵姨娘瞧，又念与他听，又说道：『这是祖宗手里旧规矩，人人都依着，偏我改了不成？这也不但袭人，将来环儿收了外头的，自然也是同袭人一样。这原不是什么争大争小的事，讲不到有脸没脸的话上。他是太太的奴才，我是按照旧规矩办。（公事公办。连贾府的屁事也要公事公办，否则岂不乱成一团？）说办的好，领祖宗的恩典、太太的恩典；若说办的不匀，那是他糊涂不知福，也只好凭他抱怨去。太太连房子赏了人，我有什么有脸之处；一文不赏，我也没什么没脸之处。依我说，太太不在家，姨娘安静些，养神罢了，何苦只要操心。太太满心疼我，因姨娘每每生事，几次寒心。我但凡是个男人，可以出得去，我必早走了，立一番事业，那时自有我一番道理；偏我是女孩儿家，一句多话也没我乱说的。太太满心里都知道，如今因看我重，才叫我照管家务。还没有做一件好事，姨娘倒先来作践我。倘或太太知道了，怕我为难，不叫我管，那才正经没脸呢，连姨娘真也没脸了！』一面说，一面不禁滚下泪来。

赵姨娘没了别话答对，便说道：『太太疼你，你越发拉扯拉扯我们。你只顾讨太太的疼，就把我们忘了。』（赵这话个别说说尚可，偏偏在探春执行任务时到议事厅来当着李纨的面讲，岂非自讨没趣！）探春道：『我怎么忘了？叫我怎么拉扯？这也问他们各人，那一个主子不疼出力得用的人？那一个好人用人拉扯的？』李纨在旁只管劝说：『姨娘别生气，也怨不得姑娘。他满心里要拉扯，口里怎么说的出来？』（李纨此话更将了探春的军。太刺激了。）探春忙道：『这大嫂子也糊涂了。我拉扯谁？谁家姑娘们拉扯奴才了？他们的好歹，你们该知道，与我什么相干。』赵姨娘气得问道：『谁叫你拉扯别人去了？你不当家，我也不来问你。你如今现在说一是一，说二是二。如今你舅舅死了，你多给了二三十两银子，难道太太就不依你？（赵姨娘的特点是话怎么不合适怎么说，怎么丑怎么傻怎么说。）分明太太是好太太，都是你们尖酸克薄，可惜太太有恩无处使。姑娘放心，这也使不着你的银子！明日等出了阁，我还想你额外照看赵家呢。（对于探春，这叫『哪壶不开提哪壶』。）如今没有长翎毛儿就忘了根本，只拣高枝儿飞去了。』（编一个赵姨娘言行录，以为粗鄙者戒！）

探春没听完，已气得脸白气噎，抽抽咽咽的一面哭一面问道：『谁是我舅舅？我舅舅年下才升了九省检点，那里又跑出一个舅舅来？我倒素昔按礼尊敬，越发敬出这些亲戚来了。既这么说，每日环儿出去，为什么赵国基又站起来，又跟他上学？为什么不拿出舅舅的款来？何苦来，谁不知道我是姨娘养的，必要过两三个月寻出由头来，彻底来翻腾一阵，怕人不知道，故意表白表白。也不知道是谁给谁没脸？幸亏我还明白，但凡糊涂不知礼的，早急了！』李纨急得只管劝，赵姨娘只管还唠叨。

读『红』，常常觉得赵姨娘的形象不够立体丰满，甚至觉得曹公对这个人物有成见，把她漫画化了，厌恶之情溢于笔端，没有深度。何至于一张口一举手便觉傻鄙陋至此！只是近一两年，这种想法略有变化。有什么办法呢，生活中就是有这样的人，生活就是这样的啊！主奴关系与母女关系的相连是探春的最大心病。此节赵姨娘极蠢浊，蠢浊之人的蠢浊之理倒也没的说。不能说她闹得多么出格。实际上贾府的猫儿腻多着呢。偏偏探春心性高强，铁面无私，益发要捍卫自己的主子身份而与丑恶的奴才亲娘划清界限。这二人互为因果，互为条件，赵姨娘愈赤裸裸探春愈要划清界限，反之亦然。）

忽听有人说：『二奶奶打发平姑娘说话来了。』赵姨娘听说，方把嘴止住。只见平儿走来，赵姨娘忙陪笑让坐，又忙问：『你奶奶好些？我正要瞧去，就只没得空儿。』李纨见平儿进来，因问他：『来作什么？』平儿笑道：『奶奶说：赵姨奶奶的兄弟没了，恐怕奶奶和姑娘不知有旧例。若照常例，只得二十两；如今请姑娘裁度着，再添些也使得。』探春早已拭去泪痕，忙说道：『又好好的添什么，谁又是「二十四个月养的」？不然，也是出兵放马、背着主子逃出命来过的人不成？你主子真个倒巧：叫我开了例，他做好人，拿着太太不心疼的钱，乐得做人情。你告诉他：我不敢添减混出主意。他添他施恩，等他好了出来，爱怎么添怎么添！』（探春未能在赵姨娘面前使出主子威风，便在平儿前找补了回来。）平儿一来时，已明白了对半；今听这话，越发会意。见探春有怒色，便不敢以往日喜乐之时相待，只一边垂手默侍。

时值宝钗也从上房中来，探春等忙起身让坐，未及开言，又有一个媳妇进来回事，因探春才哭了，便有三四个小丫鬟捧了脸盆、巾帕、靶镜等物来。此时探春因盘膝坐在矮板榻上，那捧盆丫鬟走至跟前，便双膝跪下，高捧脸盆；那两个丫鬟也都在旁屈膝捧着巾帕并靶镜脂粉之饰。（探春有小姐级的待遇，当然不愿强调姨娘养的背景。）平儿见待书不在这里，便忙上来与探春挽袖卸镯，又接过一条大手巾来，将探春面前衣襟掩了，探春方伸手向脸盆中盥沐。（平儿的崇高地位与美好形象依赖于她有明确的奴才意识。）媳妇便回道：『奶奶，姑娘：家学里支环爷和兰哥儿一年的公费。』平儿先道：『你忙什么？你睁着眼看见姑娘洗脸，你不出去伺候着，倒先说话来。二奶奶跟前，你也这样没眼色来着？（好比老臣尽忠，拥立新主——当然只是暂时代理。）姑娘虽恩宽，我去回了二奶奶，只说你们眼里都没姑娘，你们都吃了亏，可别怨我！』唬得那个媳妇忙陪笑说：『我粗心了。』一面说，一面忙退出去。

探春一面匀脸，一面向平儿冷笑道：『你迟了一步，没见还有可笑的。连吴姐姐这么个办老了事的也不查清楚了就来混我们。幸亏我们问他，他竟有脸说「忘了」。我说他回二奶奶事也忘了再找去？我料着你主子未必有耐性儿等他去找。』平儿笑道：『他有这么一次，包管腿上的筋早折了两根。姑娘别信他们。那是他们瞅着大奶奶是个菩萨，姑娘又是腼腆小姐，固然是托懒来混。』（软的欺负硬的怕，这样的人众是产生强硬乃至专制的管理人员的根源，反之亦然。素日愈是强硬专制，人众愈是没有责任感、同情心、认同感，愈会站在对立面——站干岸儿，油瓶倒了不扶……愈难管理。哪怕对临时的新班子，也要授予添减改革的权力。）说着，又向门外说道：『你们只管撒野，等奶奶大安了，咱们再说。』门外的众媳妇都笑道：『姑娘，你是个最明白的人，俗语说：「一人作罪一人当。」我们并不敢欺蔽主子。如今主子是娇客，若认真惹恼了，死无葬身之地！』平儿冷笑道：『你们明白就好了。』又陪笑向探春道：『姑娘知道，二奶奶本来事多，那里照看得这些？保不住不忽略。俗语说：「旁观者清。」这几年姑娘冷眼看着，或有该添该减的去处，二奶奶没行到，姑娘竟一添减：头一件，与太太有益；第二件，也不枉姑娘待我们奶奶的情义了。』话未说完，宝钗李纨皆笑道：『好丫头，真怨不得凤丫头偏疼他！本来无可添减之事，如今听你一说，倒要找出两件来斟酌斟酌，不辜负你这话。』探春笑道：『我一肚子气，正要拿他奶奶出气去，偏他碰了来，说了这些话，叫我也没了主意了。』一面说，一面叫进方才那媳妇来问：『环爷和兰哥家学里这一年的银子，是做那一项用的？』那媳妇便回说：『一年学里吃点心或者买纸笔，每位有八两银子的使用。』探春道：『凡爷们的使用，都是各屋里支月钱的。环哥的是姨娘领二两；宝玉的，老太太屋里袭人领二两；兰哥儿是大奶奶屋里领。怎么学里每人多这八两？原来上学去的是为这八两银子！从今日起，把这一项蠲了。平儿回去，告诉你奶奶，说我的话，把这一条务必免了。』（探春空有补天之志、补天之才——财。）平儿笑道：『早就该免。旧年奶奶原说要免的，因年下忙，就忘了。』

那媳妇只得答应着去了。就有大观园中媳妇捧了饭盒子来，侍书素云早已抬过一张小饭桌来，平儿也忙着上菜，探春笑道：『你说完了话，干你的去罢，在这里又忙什么？』平儿笑道：『我原没事的，二奶奶打发了我来，一则说话，二则恐这里人不方便，原是叫我帮着妹妹们伏侍奶奶姑娘的。』探春因问：『宝姑娘的怎么不端来一处吃？』丫鬟们听说，忙出至檐外，命媳妇们去说：『宝姑娘如今在厅上一处吃，叫他们把饭送了这里来。』探春听说，便高声说道：『你别混支使人！那都是办大事的管家娘子们，你们支使他要饭要茶的，连个高低都不知道！平儿这里站着，叫他叫去。』（治乱必严，名分必清，该摆的谱儿一定要摆。）

平儿忙答应了一声出来。那些媳妇们都悄悄的拉住笑道：『那里用姑娘去叫，我们已有人叫去了。』一面说，一面用手帕掸石矶上，说：『姑娘站了半天，乏了，这太阳地里且歇歇。』平儿便坐了。又有茶房里的两个婆子拿了个坐褥铺下，说：『石头冷，这是极干净的，姑娘将就坐一坐儿罢。』平儿忙陪笑道：『多谢。』一个又捧了一碗精致新茶出来，也悄悄笑说：『这不是我们常用的茶，原是伺候姑娘们的，姑娘且润一润罢。』平儿忙欠身接了，因指众媳妇悄悄说道：『你们太闹的不像了。他是个姑娘家，不肯发威动怒，这是他尊重，你们就藐视欺负他。果然招他动了大气，不过说他一个粗糙就完了，你们就现吃不了的亏！他撒个娇，太太也得让他一二分，二奶奶也不敢怎样。（分析探春的优势。）你们就这么大胆子小看他，可是鸡蛋往石头上碰！』众人都忙道：『我们何尝敢大胆了，都是赵姨娘闹的！』平儿也悄悄的道：『罢了，好奶奶们，「墙倒众人推」，那赵姨奶奶原有些颠倒，「着三不着两」，有了事都赖他。你们素日那眼里没人，心术利害，我这几年难道还不知道！二奶奶若是略差一点儿的，早被你们这些奶奶们治倒了。（平儿立论何其公正持平。）饶这么着，得一点空儿，还要难他一难！好几次没落了你们的口声。众人都道他利害，你们都怕他，惟我知道他心里也就不算不怕你们的。（以恶制恶更恶。通过平儿之口，介绍了事物的这一面：这些管事办事的媳妇婆子，也是极难缠的。此前，强调的是凤姐的铁腕。铁有铁的道理与难处。）前日我们还议论到这里：每不能依头顺尾，必有两场气生。那三姑娘虽是个姑娘，你们都横看了他。二奶奶在这些大姑子小姑子里头，也就只单怕他五分。你们这会子倒不把他放在眼里了！』（都是不得已。凤姐是不得已，平儿是不得已，赵姨娘是不得已，探春更是不得已。）

正说着，只见秋纹走来，众媳妇忙赶着问好，又说：『姑娘也且歇一歇，里头摆饭呢。等撤下桌子来，再回话去。』秋纹笑道：『我比不得你们，我那里等得！』说着，便直要上厅去。平儿忙叫：『快回来！』秋纹回头，见了平儿，笑道：『你又在这里充什么「外围子的防护」？』一面回身便坐在平儿褥上。平儿悄问：『回什么？』秋纹道：『问一问宝玉的月钱，我们的月钱，多早晚才领？』（不要往枪口上撞！）平儿道：『这什么大事！你快回去告诉袭人，说我的话：凭有什么事，今日都别回。若回一件，管驳一件；回一百件，管驳一百件！』（人治有时候会情绪化。）秋纹听了，忙问：『这是为什么？』平儿与众媳妇等都忙告诉他原故，又说：『正要找几处利害事与有体面的人来开例，作法子镇压，与众人作榜样呢。何苦你们先来碰在这钉子上？你这一去说了，他[illegible]的就怕，不敢惹，只拿着软的做鼻子头。』你听听罢，二奶奶的事，他还要驳[illegible][illegible]了！』（平儿，圣之时者也。）[illegible]伸了伸舌头，笑道：『幸而平姐姐在这里，没得臊一鼻子灰，趁早知会他[illegible]

[illegible]平儿忙进来伏侍。那时赵姨娘已去，三人在板床上吃饭，宝钗面南，探春面西，李纨面东。[illegible]静候，里头只有他们紧跟常侍的丫鬟伺候，别人一概不敢擅入。这些媳妇们都悄悄的议论说：『大[illegible]！别安着没良心的主意。连吴大娘才都讨了没意思，咱们又是什么有脸的！』（压下去了。）都一边悄议，[illegible]只觉里面鸦雀无闻，并不闻碗箸之响。（进入『秩序井然』的状态了。）[illegible]丫头将帘栊高揭，又有两个将桌抬出。茶房内有三个丫鬟[illegible]三人便进去了。一回又捧出沐盆并漱盂来，方有侍书、素云、莺儿三个人，每人用茶盘捧了三盖碗茶进去。一时等他三人出来，侍书命小丫头子：『好生伺候着，我们吃饭来换你们，可又别偷坐着去。』众媳妇们方慢慢的安分回事，不敢如先前轻慢疏忽了。（经过一番较量，探春的威信初步建立。工作人员的素质造成了管理人员向强悍威猛型发展。从反面证明了好人的无用。好人＝无用。）探春气方渐平，因向平儿道：『我有一件大事，早要和你奶奶商议，如今可巧

想起来。你吃了饭快来。宝姑娘也在这里，咱们四个人商议了，再细细的问你奶奶可行可止。』

平儿答应回去。凤姐因问：『为何去这半日？』平儿便笑着将方才的原故细细说与他听了。凤姐儿笑道：『好，好，好！好个三姑娘！我说不错。只可惜他命薄，没托生在太太肚里。』（天不作美。人无完人。）平儿笑道：『奶奶也说糊涂话了。他便不是太太养的，难道谁敢小看他，不与别的一样看待么？』凤姐叹道：『你那里知道？虽然庶出一样，女儿却比不得男人，将来攀亲时，如今有一种轻狂人，先要打听姑娘是正出是庶出，多有为庶出不要的。殊不知，别说庶出，便是我们的丫头，比人家的小姐还强呢！将来不知那个没造化的，为挑庶正误了事呢；也不知那个有造化的，不挑庶正的得了去。』说着，又向平儿笑道：『你知道我这几年生了多少省俭的法子，一家子大约也没个背地里不恨我的。我如今也是「骑上老虎」了，虽然看破些，无奈一时也难宽放。（「骑上老虎」云云，[illegible]姐有退步意了。这是首例。可能与生病有关，人一病，难免消极，难免从另外的思路审视一下自己的行事。病也是必要的。病也有益。）[illegible]则家里出去的多，进来的少，凡百大小事儿，仍是照着老祖宗手里的规矩，却一年进的产业，又不及先时多；[illegible]俭了，外人又笑话，老太太、太太也受委屈，家下也抱怨克薄。若不趁早儿料理省俭之计，再几年就都赔尽了。』

平儿道：『可不是这话！将来还有三四位姑娘，还有两三个小爷们，一位老太太，这几件大事未完呢。』凤姐儿笑道：『我也虑到这里，倒也够了。宝玉和林妹妹，他两个一娶一嫁，可以使不着官中钱，老太太自有体已拿出来。二姑娘是大老爷那边的，也不算。剩了三四个，满破着每人花上一万银子。环哥娶亲有限，花上三千银子；若不够，那里省一抿子也就够了。老太太的事出来，一应都是全了的，不过零星杂项使费些，满破三五千两。如

今再俭省些，陆续就够了。只怕如今平空再生出一两件事来，可就了不得了。（平儿也是有中长期计算的。凤姐则虑得更具体周详。）咱们且别虑后事，你且吃了饭，快听他们商议什么。这正碰了我的机会，我正愁没个膀臂，虽有个宝玉，他又不是这里头的货，纵收伏了他，也不中用。大奶奶是个佛爷，也不中用。二姑娘更不中用，亦且不是这屋里的人。四姑娘小呢，兰小子与环儿更是个燎毛的小冻猫子，只等有热灶火坑让他钻去罢，真真一个娘肚子里跑出这样天悬地隔的两个人来，我想到那里就不服！再者林丫头和宝姑娘他两个人倒好，偏又都是亲戚，又不好管咱们家务事。况且一个是美人灯儿，风吹吹就坏了；一个是拿定了主意，「不干己事不张口，一问摇头三不知」，也难十分去问他。（宝钗现在什么都不是，自然不宜妄动妄言。如果她当上了宝玉夫人呢，也许令人刮目相看。）倒只剩了三姑娘一个，心里嘴里都也来得，又是咱家的正人，太太又疼他，虽然脸上淡淡的，皆因是赵姨娘那老东西闹的，心里却是和宝玉一样呢。比不得环儿，实在令人难疼，要依我的性子，早撵出去了！如今他既有这主意，正该和他协同，大家做个膀臂，我也不孤不独了。按正礼天理良心上论，咱们有他这一个人帮着，咱们也省些心，与太太的事也有益。若按私心藏奸上论，我也太行毒了，也该抽回退步，回头看看；（能认识到这一点还是不错的。然已骑虎难下。）再要穷追苦克，人恨极了，他们笑里藏刀，咱们两个才四个眼睛两个心，一时不防，倒弄坏了。（何其清醒也！已大不似往日『协理宁国府』『弄权铁槛寺』时矣。）趁着紧溜之中，他出头一料理，众人就把往日咱们的恨暂可解了。还有一件，我虽知你极明白，恐怕你心里挽不过来，如今嘱咐你：他虽是姑娘家，心里却事事明白，不过是言语谨慎。他又比我知书识字，更利害一层了。（凤姐能够尊重知识和人才，能知道自己的不足，并非一味膨胀。可赞可敬！）如今俗语说：「擒贼必先擒王。」他如今要作法开端，一定是先拿我开端，倘或他要驳我的事，你可别分辩，你只越恭敬越说驳的是才好。千万别想着怕我没脸，和他一强，就不好了。』

平儿不等说完，便笑道：『你太把人看糊涂了！我才已经行在先了，这会子才嘱咐我！』凤姐儿笑道：『我是恐怕你心里眼里只有了我，一概没有他人之故，不得不嘱咐；既已行在先，更比我明白了。（也有惺惺惜惺惺的意思。也有官官相护、顾全大局的意思。）这不是你又急了，满嘴里「你」呀「我」的起来了！』平儿道：『偏说「你」！你不依，这不是嘴巴子，再打一顿。难道这脸上还没尝过的不成！』（平儿玩笑中翘一翘尾巴，也是更显亲热。）凤姐儿笑道：『你这小蹄子儿，要掂多少过儿才罢。你看我病的这个样儿，还来怄我呢！过来坐下，横竖没人来，咱们一处吃饭是正经。』（平儿无资格与探春共餐，却可以与凤姐不分你我。）

说着，丰儿等三四个小丫头子进来，放小炕桌。凤姐只吃燕窝粥，两碟子精致小菜，每日分例菜已暂减去。丰儿便将平儿的四样分例菜端至桌上，与平儿盛了饭来。平儿屈一膝于炕沿之上，半身犹立于炕下，陪着凤姐儿吃了饭，伏侍漱口毕，吩咐了丰儿些话，方往探春处来。（号称你我，毕竟是一时脱口而出。如何坐法，坐席问题，则是大事，何敢逾礼！）只见院中寂静，人已散出。要知端的，且听下回分解。

探春的精明，探春的厉害，探春的难处；赵姨娘的愚蠢，赵姨娘的可怜；平儿的乖觉，平儿的尊重；凤姐的知人，凤姐在病中的比平日的浮躁要深沉多了的思考；众下人的刁、恶、赖，欺软怕硬；贾府的赤字问题：在这一回都得到了合情合理的表现。

真正的强者王熙凤，懂得尊重潜在的强者探春，同时抹杀与压服愚蠢粗鄙的赵姨娘。另一个潜在的强者宝钗，则连赵姨娘都要团结住。凤姐甚至也尊重与拉拢奴才中的精英，平儿、鸳鸯、袭人等。凤的恃强在于视弱者如草芥，对弱者欺负得太狠。

第五十六回　敏探春兴利除宿弊　贤宝钗小惠全大体

凤姐『政躬违和』是一件大事。因为，没有一个人能像她那样玩得转。疾病是天灾也是气数，从此，凤姐便渐渐有些心余力绌的架势，再没有此前那种游刃有余的威风与潇洒。但此事也有积极的一面，给『三套马车』特别是探春以一显身手的机会。而哪怕是临时的『人事调整』在带来危机的同时也带来新的思路，新的点子。于是，在凤姐大力支持下，探春开始了某些新政。）

话说平儿陪着凤姐儿吃了饭，伏侍盥漱毕，方往探春处来，只见院中寂静，只有丫鬟婆子，诸内壶近人在窗外听候。平儿进入厅中，他姊妹姑嫂三人正议论些家务，说的便是年内赖大家请吃酒，他家花园中事故。见他来了，探春便命他脚踏上坐了，因说道：『我想的事，不为别的，只想着我们一月所用的头油脂粉又是二两的事。我想我们一月已有了二两月银，丫头们又另有月钱，可不是又同刚才学里的八两一样重重叠叠？这事虽小，钱有限，看起来也不妥当，你奶奶怎么就没想到这个呢？』（探春立马发现问题，是精明却也带稚气。）

平儿笑道：『这有个原故：姑娘们所用的这些东西，自然该有分例，每月每处买办买了，令女人们交送我们收管，不过预备姑娘们使用就罢了；没有个我们天天各人拿着钱，找人买这些去的。所以外头买办总领了去，按

月使女人按房交给我们。至于姑娘们每月的这二两，原不是为买这些的，为的是一时当家的奶奶太太，或不在家，或不得闲，姑娘们偶然要个钱使，省得找人去。这不过是恐怕姑娘们受委曲意思。如今我冷眼看着，各屋里我们的姐妹都是现拿钱买这些东西的，竟有了一半子。我就疑惑不是买办脱了空，就是买的不是正经货。』（大锅饭难以保证质量，难以及时供货，难以监督明察。）探春李纨都笑道：『你也留心看出来了。脱空是没有的，只是迟些日子；催急了，不知那里弄些来，不过是个名儿，其实使不得，依然还得现买。就用二两银子，另叫别人的奶妈子的弟兄儿子买来，方才使得。若使官中的人去，依然是那一样的，不知他们是什么法子？』平儿便笑道：『买办买的是那样，别人买了好的来，买办的也不依他，又说他使坏心，要夺他的买办了。所以他们宁可得罪了里头，不肯得罪了外头办事的。若是姑娘们使了奶妈子们，他们也就不敢说闲话了。』（这里分析得深刻。这里也有一个网状结构，不允许竞争，只可以互相维持庇护。官官相护的风气下面，必然有吏吏相护、民民相护、奴奴相护的一面。）探春道：『因此我心里不自在，饶费两起儿钱，东西又白丢一半，不如竟把买办的这一项每月蠲了为是。此是第一件事。第二件，年里往赖大家去，你也去的，你看他那小园子，比咱们这个如何？』平儿笑道：『还没有咱们这一半大，树木花草也少多着呢。』探春道：『我因和他们家的女孩儿说闲话儿，他说这园子除他们带的花儿，吃的笋菜鱼虾，一年还有人包了去，年终足有二百两银子剩。从那日，我才知道一个破荷叶，一根枯草根子，都是值钱的。』（吸收先进经验，树立经营意识、财富意识。）

宝钗笑道：『真真膏粱纨裤之谈。你们虽是千金，原不知道这些事，但只你们也都念过书，识过字的，竟没

……篇『不自弃』的文么？』（书中已有。）探春笑道：『虽也看过，……

……宝钗道：『朱子都有了虚比浮词了？那句句都是有的。你才办了两天事，就利欲熏……

……书出去，见了那些利弊大事，越发连孔子也都看虚了呢！……

……子有云：「登利禄之场，处运筹之界者，穷……

（……经世致用，没有这些，不过是书呆子、字纸篓子。尧舜孔孟，没有这些哪里还有大旗、道义的自信……

……一句呢？』探春笑道：『如今断章取意，念出……

宝钗道：『天下没有不可用的东西，既可用，便值钱。难为你是个聪明人，这大节目正事竟没经历。』李纨笑道：『叫人家来了，又不说正事，你们且对讲学问！』宝钗道：『学问中便是正事。若不拿学问提着，便都流入市俗去了。』（没有理论的实践是盲目的实践，没有实践的理论是空洞的理论。）

三人取笑了一回，便仍谈正事。探春又接说道：『咱们这个园子，只算比他们的多一半，加一倍算起来，一年就有四百银子的利息。若此时也出脱生发银子，自然小器，不是咱们这样人家的事；若派出两个一定的人来，既有许多值钱之物，一味任人作践，也似乎暴殄天物。（此言说明背着寄生官僚的包袱，放不下来。）不如在园子里所有的老妈妈中，拣出几个本分老成，能知园圃的，派他们收拾料理。也不必要他们交租纳税，只问他们一年可以孝敬些什么。一则园子有专定之人修理花木，自然一年好似一年的，也不用临时忙乱；二则也不致作践，白辜负了东西；三则老妈妈们也可借此小补，不枉年日家在园中辛苦；四则也可以省了这些花儿匠、山子匠并打扫人等的工费：将此有余，以补不足，未为不可。』（这也是一种承包责任制，比大锅饭起码分工专细了些。）宝钗正在地下看壁上的字画，听如此说，便点头笑道：『善哉，三年之内，无饥馑矣。』（宝钗的不断转文，是有意保持距离，不真正介入投入，半似客卿，半似清客，最佳身份，最佳——也最狡猾状态。）李纨道：『好主意。果然这么行，太太必喜欢。省钱事小，园子有人打扫，专司其职，又许他去卖钱，使之以权，动之以利，再无不尽职的了。』平儿道：『这件事须得姑娘说出来。我们奶奶虽有此心，未必好出口。此刻姑娘们在园里住着，不能多弄些玩意儿陪衬，反叫人去监管修理，图省钱，这话断不好出口。』（这就叫各有各的局限性。）

宝钗忙走过来，摸着他的脸笑道：『你张开嘴，我瞧瞧你的牙齿舌头是什么做的？从早起来，到这会子，你说了这些话，一套一个样子，也不奉承三姑娘，也不说你们奶奶才短想不到，三姑娘说一套话出来，你就有一套话回奉，总是三姑娘想得到的，你们奶奶也想到了，只是必有个不可办的原故。这会子又是因姑娘们住的园子，不好因省钱令人去监管。（平儿有两个坚决：一、坚决忠于凤姐，二、坚决支持和尊重探春的新政。因此便能辩证地历史地分析问题，不搞是今非昨，也不搞是昨非今。如果是乱臣贼子，就要借此掀起凤、探的『路线斗争』。）你们想想这话，要果真交与人弄钱去的，那人自然是一枝花也不许掐，一个果子也不许动了，姑娘们分中，自然是不敢讲究，天天和小姑娘们就吵不清。他这远愁近虑，不抗不卑，他们奶奶便不是和咱们好，听他这一番话，也必要自愧的变好了。』（宝钗盛赞平儿，也有引为同道的含义。『三套车』中的宝钗这匹『马』，何等轻松风凉！）探春笑道：『我早起一肚子气，听他来了，忽然想起他主子来：素日当家，使出来的好撒野的人，我见了他更生气了。谁知他来了，避猫鼠儿是的，站了半日，怪可怜的。接着又说了那些话，不说他主子待我好，倒说「不枉姑娘待我们奶奶素日的情意了」，这一句话，不但没了气，我倒愧了，又伤起心来。我细想：我一个女孩儿家，自己还闹得没人疼没人顾的，我那里还有好处去待人。」口内说到这里，不免又流下泪来。（平儿分析问题、谈问题，确实很有讲究。与那种以势压人、咄咄逼人、得理不让人的人大不相同，收效便大不一样。）

李纨等见他说的恳切，又想他素日赵姨娘每生诽谤，在王夫人跟前，亦为赵姨娘所累，也都不免流下泪来，都忙劝他：「趁今日清净，大家商议两件兴利剔弊的事情，也不枉太太委托一场。又提这没要紧的事做什么！」平儿忙道：「我已明白了。姑娘竟说，谁好，竟一派人，就完了。」探春道：「虽如此说，也须得回你奶奶一声。我们这里搜剔小利，已经不当，皆因你奶奶是个明白人，我才这样行；若是糊涂多歪多妒的，我也不肯，倒像抓他的乖一般了。岂可不商议了行的？」（探春尊重前任，凤姐支持（代理）继任，堪称模范。设想一下，如不是这样，只能是两败俱伤！）平儿笑道：「既这样，我去告诉一声儿。」说着去了，半日方回来，笑道：「我说是白走一趟。这样好事，奶奶岂有不依的！」

探春听了，便和李纨命人将园中所有婆子的名单要来，大家参度，大概定了几个人。又将他们一齐传来，李纨大概告诉与他们。众人听了，无不愿意。也有说：「那片竹子单交给我，一年工夫，明年又是一片。除了家里吃的笋，一年还可交些钱粮。」这一个说：「那一片稻地交给我，一年这些玩的大小雀鸟的粮食，不必动官中钱粮，我还可以交钱粮。」探春才要说话，人回：「大夫来了，进园瞧史姑娘去。」众婆子只得去领大夫。平儿忙说：「单你们，有一百也不成个体统。难道没有两个管事的头脑带进大夫来？」回事的那人说：「有吴大娘和单大娘，他两个在西南角上聚锦门等着呢。」平儿听说，方罢了。

众婆子去后，探春问宝钗：「如何？」宝钗笑答道：「幸于始者怠于终，善其辞者嗜其利。」（宝钗保持清醒头脑，不使探春陶醉于自己的改革方案，有功。）探春听了，点头称赞，便向册上指出几个来与他三人看。平儿忙去取笔砚来。他三人说道：「这一个老祝妈，是个妥当的，况他老头子和他儿子，代代都是管打扫竹子，如今竟把这所有的竹子交与他。这一个老田妈，本是种庄家的，稻香村一带，凡有菜蔬稻稗之类，虽是玩意儿，不必认真大治大耕，也须得他去再细细按时加些植养，岂不更好？」探春又笑道：「可惜蘅芜院和怡红院这两处大地方，竟没有出息之物！」李纨忙笑道：「蘅芜院里更利害！如今香料铺并大市大庙卖的各处香料香草儿，都不是这些东西？算起来，比别的利息更大！怡红院别说别的，单只说春夏二季的玫瑰花，共下多少花朵儿，还有一带篱笆上的蔷薇、月季、宝相、金银花、藤花，这几色草花，干了卖到茶叶铺药铺去，也值好些钱。」（曹公对各种经营亦不外行。）探春笑道：「原来如此，只是弄香草的没有在行的人。」平儿忙笑道：「跟宝姑娘的莺儿他妈，就是会弄这个的。上回他还采了些晒干了，编成花篮葫芦给我玩呢。姑娘倒忘了不成？」宝钗笑道：「我才赞你，你倒来捉弄我了。」三人都诧异问道：「这是为何？」宝钗道：「断断使不得。你们这里多少得用的人，一个个闲着没事办，这会子我又弄个人来，叫那起人连我也看小了。我倒替你们想出一个人来：怡红院有个老叶妈，他就是焙茗的娘，那是个诚实老人家，他又合我们莺儿妈极好。不如把这事交与叶妈，他有不知的，不必咱们说给他，就找莺儿的娘去商量了。」

那怕叶妈全不管，竟交与那一个，这是他们私情儿，有人说闲话，也就怨不到咱们身上。如此一行，你们办得又至公道，于事又甚妥。』（用人也要避嫌。）李纨平儿都道：『是极。』探春笑道：『虽如此，只怕他们见利忘义呢。』（已经估计到了这种可能。）平儿笑道：『不相干。前日莺儿还认了叶妈做干娘，请吃饭吃酒，两家和厚得很呢。』（平儿此话，不懂得经济利益的厉害了。）探春听了，方罢了。又共斟酌出几人来，俱是他四人素昔冷眼取中的，用笔圈出。

一时婆子们来回：『大夫已去。』将药方送上去，三人看了，一面遣人送出外边去取药，监派调服；一面探春与李纨明示诸人：某人管某处，『按四季，除家中定例用多少外，余者任凭你们采取了去取利，年终算账。』探春笑道：『我又想起一件事：若年终算账，归钱时，自然归到账房，仍是上头又添一层管主，还在他们手心里，又剥一层皮。这如今我们兴出这事来，派了你们，已是跨过他们的头去了，心里有气，只说不出来；你们年终去归账，他还不捉弄你们等什么？再者，这一年间，管什么的，主子有一全分，他们就得半分，这是每常的旧规，人所共知的。如今这园子是我的新创，竟别入他们的手，每年归账，竟归到里头来才好。』（『改革』必然与旧体制发生矛盾。）宝钗笑道：『依我说，里头也不用归账，这个多了，那个少了，倒多了事。不如问他们谁领这一分的，他就揽一宗事去。不过是园里的人动用。我替你们算出来了，有限的几宗事，不过是头油、胭脂、香、纸，每一位姑娘，几个丫头，都是有定例的；再者各处笤帚、簸箕、掸子，并大小禽鸟、鹿、兔吃的粮食。不过这几样，都是他们包了去，不用账房去领钱。你算算，就省下多少来？』平儿笑道：『这几宗虽小，一年通共算了，也省得下四百两银子。』

宝钗笑道：『却又来！一年四百，二年八百两，打租的房子也能多买几间，薄沙地也可以添几亩了。虽然还有敷余，但他们既辛苦了一年，也要叫他们剩些，粘补自家。虽是兴利节用为纲，然亦不可太啬，总再省上二三百银子，失了大体统，也不像。所以如此一行，外头账房里一年少出四五百银子，也不觉的很艰啬了；他们里头却也得些小补；这些没营生的妈妈们，也宽裕了；园子里花木，也可以每年滋长繁盛；如此你们也得了可使之物，这庶几不失大体。若一味要省时，那里不搜寻出几个钱来？凡有些余利的，一概入了官中，那时里外怨声载道，岂不失了你们这样人家的大体？如今这园里几十个老妈妈们，若只给了这个，那剩的也必抱怨不公；我才说的他们只供给这个几样，也未免太宽裕了。一年竟除这个之外，他每人不论有余无余，只叫他拿出若干吊钱来，大家凑齐，单散与这些园中的妈妈们。他们虽不料理这些，却日夜也自在园中照看，当差之人，关门闭户，起早睡晚，大雨大雪，姑娘们出入，抬轿子，撑船，拉冰床，一应粗重活计，都是他们的差使，一年在园里辛苦到头，这园内既有出息，也是分内该沾带些的。（事小理大。『红』写这一类事，竟这样细致准确，宛如家务财务明细表一般，而同时又能写情天恨海，太虚幻境，悲秋葬花，僧道『好』『了』，这样的全才，古今中外无双。）还有一句至小的话，越发说破了，你们只顾了自己宽裕，不分与他们些，他们虽不敢明怨，心里却都不服，只用假公济私的，多摘你们几个果子，多掐几枝花儿，你们有冤还没处诉呢。他们也沾带些利息，你们有照顾不到的，他们就替你们照顾了。』（利益分配，统筹兼顾，求得和谐太平。但这样搞，太照顾人际的平顺了，终难于调动个人的积极性。）

众婆子听了这个议论，又去了账房受辖制，又不与凤姐儿去算账，一年不过多拿出若干吊钱来，各各欢喜异常，都齐声说：『愿意。强如出去被他们揉搓着，还得拿出钱来呢！』（减少中间层次。）那不得管地的，听了每年终无故得钱，也都喜欢起来，口内说：『他们辛苦收拾，是该剩些钱粘补的，我们怎么好「稳吃三注」呢？』宝钗笑道：『妈妈们也别推辞了，这原是分内应当的。你们只要日夜辛苦些，别躲懒纵放人吃酒赌钱就是了，不然，我也不该管这事。你们也知道，我姨娘亲口嘱托我三五回，说：『大奶奶如今又不得闲，别的姑娘又小，托我照看照看。我若不依，分明是叫姨娘操心。我们太太又多病，家务也忙，我原是个闲人，便是街坊邻居，也要个帮忙的，何况是姨娘托我？讲不起众人嫌我。倘或我只顾沽名钓誉的，那时酒醉赌输了，再生出事来，我怎么见姨娘？你们那时后悔也迟了，就连你们素昔的老脸也都丢了。这些姑娘们，这么一所大花园，都是你们照管，皆因看得你们是三四代的老妈妈，最是循规蹈矩，原该大家齐心顾些体统。你们反纵放别人，任意吃酒赌博。姨娘听见了，教训一场犹可，倘若被那几个管家娘子听见了，他们也不用回姨娘，竟教导你们一场。你们这年老的反受了小的教训，虽是他们是管家，管得着你们，何如自己存些体统，他们如何得来作践呢！所以我如今替你们想出这个额外的进益来，也为的是大家齐心，把这园里周全得谨谨慎慎的，使那些有权执事的看见这般严肃谨慎，且不用他们操心，他们心里岂不敬服？也不枉替他们筹画些进益了。你们去细细想想这话。』（绵里藏针，勿谓言之不预。宝钗的这一番话是除了承包以外还要强调脸面与自觉自律，有几分以礼治天下的意思。这本是最理想的升平之道，比严刑峻法高明得多也仁厚得多的升平之道。问题是，冰冻三尺非一日，即使主观上大家接受这一番道理，做起来却各顾各，乌眼鸡，最后还是做不成。理想主义最后常常失败。）众人都欢喜说：『姑娘说得很是。从此姑娘奶奶只管放心。姑娘奶奶这样疼顾我们，我们再要不体上情，

天地也不容了！』（说得甚好，也基本属实，唯这种感激之情代替不了也消解不了各种尖锐化复杂化的利益冲突与人际矛盾。）

作为一部巨著，『红』有自己的平衡原则。前面已评述到闲与忙、缓与急、情感缱绻与勾心斗角之间的交替、变化、平衡。这里表现的是虚实的变化平衡。探春理家一节，写得实是太真太实太细，太形而下了。紧接着来一个甄宝玉，来一个宝玉的梦，一切叙写大大地形而上化了。曹雪芹确实是大才、全才。

刚说着，只见林之孝家的进来，说：『江南甄府里家眷昨日到京，今日进宫朝贺，此刻先遣人来送礼请安。』（宝玉之外有宝玉，长安之外有南京两个地方都不是实指的而是象征的，贾外有甄。设想一下，另外还有一个你或你的对应者、虚像、模拟者在远方生活，你能不激动吗？你能不浮想联翩吗？）说着便将礼单送上去。探春接了，看道是：『上用的妆缎蟒缎十二匹。上用杂色缎十二匹。上用各色纱十二匹。上用宫绸十二匹。宫用各色缎纱绸绫二十四匹。』李纨探春看过，说：『用上等封儿赏他。』因又命人去回了贾母。贾母命人叫李纨、探春、宝钗等都过来，将礼物看了。李纨收过一边，吩咐内库上人说：『等太太回来看了再收。』贾母因说：『这甄家又不与别家相同。上等封儿赏男人。只怕展眼又打发女人来请安，预备下尺头。』一语未了，果然人回：『甄府四个女人来请安。』

贾母听了，忙命人带进来。那四个人都是四十往上年纪，穿带之物皆比主子不大差别。请安问好毕，贾母便命拿了四个脚踏来。他四人谢了坐，宝钗等坐了，方都坐下。贾母便问：『多早晚进京的？』四人忙起身回说：『昨儿进的京，今儿太太带了姑娘进宫请安去了，所以叫女人们来请安，问候姑娘们。』贾母笑问道：『这些年没进京，也不想到就来。』四人也都笑回道：『正是。今年是奉旨唤进京的。』贾母问道：『家眷都来了？』四人回说：『老

太太和哥儿、两位小姐，并别位太太，都没来；就只太太带了三姑娘来了。」贾母道：「有人家没有？」四人道：「还没有呢。」贾母笑道：「你们大姑娘和二姑娘，这两家，都和我们家甚好。」四人笑道：「正是。每年姑娘们有信回来说，全亏府上照看。」贾母笑道：「什么「照看」？原是世交，又是老亲，原应当的。你们二姑娘更好，不自尊大，所以我们才走的亲密。」（贾母说话有一种随意、平常、自然的风格，不拿腔作势，也不像凤姐那样花马掉嘴，即使是批判歪戏、捍卫道统的话，也是自己的语言风格。）四人笑道：「这是老太太过谦了。」

贾母又问：「你这哥儿也跟着你们老太太？」四人回说：「也跟着老太太呢。」贾母道：「几岁了？」又问：「上学不曾？」四人笑说：「今年十三岁。因长的齐整，老太太很疼，自幼淘气异常，天天逃学，老爷太太也不便十分管教。」贾母笑道：「也不成了我们家的了！你这哥儿叫什么名字？」四人道：「因老太太当作宝贝一样，他又生得白，老太太便叫作「宝玉」。」贾母笑向李纨道：「偏也叫个「宝玉」！」李纨等忙欠身笑道：「从古至今，同时隔代，重名的很多。」（重名固多，性格模样也相仿的则罕见。）四人也笑道：「起了这小名儿之后，我们上下都疑惑，不知那位亲友家也倒是曾有一个的，只是这十来年没进京来，却记不真了。」贾母笑道：「那就是我的孙子。人来！」众媳妇丫头答应了一声，走近几步，贾母笑道：「园里把咱们的宝玉叫了来，给这四个管家娘子瞧瞧，比他们的宝玉如何？」（通过自我分离达到自我观照，参照。）

众媳妇听了，忙去了，半刻，围了宝玉进来。四人一见，忙起身笑道：「唬了我们一跳！（当然唬了一跳，原来相同、相似常常比相异还吓人。盖相异是自然，而相同相似则另有玄机。）若是我们不进府来，倘若别处遇见，还只当我们的宝玉后

赶着也进了京呢！」一面说，一面都上来拉他的手，问长问短。宝玉也笑问个好。贾母笑道：「比你们的长得如何？」李纨等笑道：「四位妈妈才一说，可知是模样儿相仿了。」贾母笑道：「那有这样巧事？大家子孩子们，再养得娇嫩，除了脸上有残疾十分丑的，大概看去都是一样齐整，这也没有什么怪处。」四人笑道：「如今看来，模样是一样！据老太太说，淘气也一样；我们看来，这位哥儿，性情却比我们的好些。」贾母忙问：「怎见得？」四人笑道：「方才我们拉哥儿的手说话，便知道了。若是我们那一个，只说我们糊涂。慢说拉手，他的东西，我们略动一动，也不依。所使唤的人，都是女孩子们……」

四人未说完，李纨姊妹等禁不住都失声笑出来。贾母也笑道：「我们这会子也打发人去见了你们宝玉，若拉他的手，他也自然勉强忍耐着。不知你我这样人家的孩子，凭他们有什么刁钻古怪的毛病，见了外人，必是要还出正经礼数来的。若他不还正经礼数，也断不容他刁钻去了。就是大人溺爱的，也因为他一则生的得人意儿；二则见人礼数，竟比大人行出来的更不错，使人见了可爱可怜，背地里所以才纵得他一点子。若一味他只管没里没外，不与大人争光，凭他生得怎样，也是该打死的。」（这话重要。说明：一、贾母等家长溺爱纵容宝玉，并非不讲原则，「打死」云云，可见无可商议。二、宝玉虽然「混闹」，大节并无闪失。）四人听了，都笑说：「老太太这话正是。虽然我们宝玉淘气古怪，有时见了客，规矩礼数，比大人还有趣，所以无人见了不爱，只说：「为什么还打他？」殊不知他在家里无法无天，大人想不到的话偏会说，想不到的事偏会行，所以老爷太太恨的无法。就是任性，也是小孩子的常情；胡乱花费，也是公子哥儿的常情；怕上学，也是小孩子的常情，都还治得过来。第一，天生下来这一种刁钻

古怪的脾气，如何使得。』（强调两个宝玉的性格已属超常。）一语未完，人回：『太太回来了。』王夫人进来，问过安，他四人请了安，大概说了两句，贾母便命：『歇歇去罢。』王夫人亲捧过茶，方退出去。四人告辞了贾母，便往王夫人处来，说了一会子家务，打发他们回去，不必细说。

这里贾母喜得逢人便告诉：也有一个宝玉，也都一般行景。众人都想着：天下的世宦大家，同名的这也很多，祖母溺爱孙子也是常事，不是什么罕事，皆不介意。独宝玉是个迂阔呆公子的心性，自为是那四人承悦贾母之词，后至园中去看湘云病去，史湘云因说他：『你放心闹罢，先还「单丝不成线，独树不成林」，如今有了个对子。闹急了，再打很了，你好逃到南京找那一个去。』宝玉道：『那里的谎话，你也信了，偏又有宝玉了？』湘云道：『怎么列国有个蔺相如，汉朝又有个司马相如呢？』宝玉笑道：『这也罢了，偏又模样儿也一样，这是没有的事！』湘云道：『怎么匡人看见孔子，只当是阳货呢？』宝玉笑道：『孔子阳货虽同貌，却不同名；蔺与司马虽同名，而又不同貌；偏我和他就两样俱同不成？』湘云没了话答对，因笑道：『你只会胡搅，我也不和你分证。有也罢，没也罢，与我无干。』（宝玉的『胡搅』，是对己、对他人的没底，他其实是需要湘云的聪明与见解的参照：或信其有，或断其无。）说着，便睡下了。

人类的意识首先在于主观与客观的分离，在于分辨何者为物，何者为我。物是林林总总的大千世界。我呢？我在哪里？我是什么？我是意识的主体，也是意识的对象。当我成为意识的对象的时候，我与我、主体与主体也开始分离了，一个是思想着意识着的我，一个是被思考被意识着的我。所以你至少有两个我。如果一个是假我，一个就是真我了。反之亦然。自我批评就是我批评我。自我欣赏就是我欣赏我。

宝玉心中便又疑惑起来：『若说必无，也似必有，若说必有，又并无目睹。』心中闷闷，回至房中榻上，默默盘算，不觉昏昏睡去，竟到一座花园之内。宝玉诧异道：『除了我们大观园，竟又有这一个园子？』正疑惑间，忽然那边来了几个女孩儿，都是丫鬟，宝玉又诧异道：『除了鸳鸯、袭人、平儿之外，也竟还有这一干人？』（这种心情几近于地球人之惊异于、思念于、追寻于另一个载负着生命的『地球』。）只见那些丫鬟笑道：『宝玉怎么跑到这里来？』宝玉只当是说他，忙来陪笑说道：『因我偶步到此，不知是那位世交的花园？姐姐们带我逛逛。』众丫鬟都笑道：『原来不是咱们家的宝玉！他生得也还干净，嘴儿也倒乖觉。』宝玉听了，忙道：『姐姐们这里，也竟还有个宝玉？』丫鬟们忙道：『「宝玉」二字，我们家是奉老太太、太太之命，为保佑他延年消灾，我们叫他，他听见喜欢；你是那里远方来的小厮，也乱叫起来！仔细你的臭肉，不打烂了你的！』（此宝玉到了彼处，便是臭肉、臭小厮矣。）又一个丫鬟笑道：『咱们快走罢，别叫宝玉看见。』又说：『同这臭小子说了话，把咱们熏臭了！』说着，一径去了。

宝玉纳闷道：『从来没有人如此荼毒我，他们如何竟这样的，莫不真也有我这样一个人不成？』（谁能认识『我』，接受『我』？谁能不荼毒『我』？）一面想，一面顺步走到了一所院内。宝玉诧异道：『除了怡红院，也竟还有这么一个院落？』忽上了台阶，进入屋内，只见榻上有一个人卧着，那边有几个女儿做针线，或有嬉笑玩耍的。只见榻上那个少年叹了一声，一个丫鬟笑问道：『宝玉，你不睡，又叹什么？想必为你妹妹病了，你又胡愁乱恨呢。』（这宁可说是灵魂出窍，飞翔在天空的自己审视卧在榻上的自己。自由的想象中的自我，审视现实的『总和着社会关系』的我。）

宝玉听说，心下也便吃惊，只见榻上少年说道：『我听见老太太说，「长安」都中也有个宝玉，和我一样的性情，我只不信。我才做了一个梦儿，竟梦中到了都中一个花园子里头，遇见几个姐姐，都叫我臭小厮，不理我。好容易找到他房里，偏他睡觉，空有皮囊，真性不知往那里去了。』宝玉听说，忙说道：『我因找宝玉来到这里，原来你就是宝玉？』榻上的忙下来拉住，笑道：『原来你就是宝玉！这可不是梦里了。』宝玉道：『这如何是梦？真而又真的！』（想象中的被审视的我中，又生出一个自由的想象的我。恰如镜中有我，镜中有镜中之我，镜中有镜中的镜中之我——两个镜子相对而照我，产生出一种无限的长廊效应。）一语未了，只见人来说：『老爷叫宝玉。』吓得二人皆慌了。一个宝玉就走，一个便忙叫：『宝玉快回来，宝玉快回来！』

因为是小说，也因为宝玉没出息，所以此一宝玉只能是假（贾）。他面对的那个我、那个宝玉呢？便是真，姑妄言之为真（甄）了。假（贾宝玉）做真（实的小说人物）时，真（甄宝玉）亦假（设的小说人物）。甄宝玉是贾宝玉的意识的产物，是贾宝玉的假设，是贾宝玉的一次令人毛骨悚然的自我想象、自我欣赏、自我嗟叹、自我分离、自我批评、自我邂逅。读者能读甄宝玉而悸然心动，庶有望矣。这不仅是一个人物、一段故事（作为人物与故事，甄宝玉写得即使不成功也不要紧）。这更是一个方法论。如果以这种方法审视一切人物包括读者自己呢？

袭人在旁听他梦中自唤，忙推醒他，笑问道：『宝玉在那里？』此时宝玉虽醒，神意尚恍惚，因向门外指说：『才去了不远。』袭人笑道：『那是你梦迷了。你揉眼细瞧，是镜子里照的你的影儿。』（果然是镜子！镜子是天下第一奇物！镜子可以使我面对着我的映像。何等奇妙！）宝玉向前瞧了一瞧，原是那嵌的大镜对面相照，自己也笑了。早有丫鬟捧过漱盂茶卤来漱了口。麝月道：『怪道老太太常嘱咐说：「小人儿屋里不可多有镜子，人小魂不全，有镜子照多了，睡觉惊恐做胡梦。」如今倒在大镜子那里安了一张床！有时放下镜套还好；往前去，天热困倦，那里想得到放他？比如方才就忘了，自然先躺下照着影儿玩来着，一时合上眼，自然是胡梦颠倒的；不然，如何叫起自己的名字来呢？不如明日挪进床来是正经。』（这样物质性地解释一下，如同一个狂想曲，渐渐收到平实的音符上。）

一语未了，只见王夫人遣人来叫宝玉，不知有何话说，且听下回分解。

此节是天才之作，真正的小说！真正的想象！真正的灵性！设想我之外另有一我，这是伟大的想象，这想象很可能来自镜子的启示。这个想象也来自庄生化蝶的典故的启示。不同的是，这次贾宝玉没有化成蝴蝶，而是在梦中看到了另一个宝玉。甄宝玉是宝玉的对应，也是宝玉的虚像，是假贾（假）宝玉，假假——否定之否定——遂成真实。跳出来，跳出来，跳出来！一部『红楼』，就是要教给你从现实的『我』中跳出来。跳出来后才知道那个自由的想象的我——且称之为灵我——在实我那里其实是陌生的、不被接受乃至被排斥的。灵我无处容身。灵我漂泊，无枝可栖。灵我恐惧着实我，实我派生着新的孤独的灵我，这正是生存、存在与存在意识的大悲哀处。于是乎有宗教，有哲学，有艺术，有小说，有『红楼』。愈思愈悲，乃至毛骨悚然，何曹公思、悲之深也！

三套马车执政，宛如实录，贾宝玉梦到甄宝玉，却是遐想。没有实录感的小说神经兮兮，没有遐想力的小说如此而已。

第五十七回　慧紫鹃情辞试莽玉　慈姨妈爱语慰痴颦

话说宝玉听王夫人唤他，忙至前边来，原来是王夫人要带他拜甄夫人去。宝玉自是欢喜，忙去换衣服，跟了王夫人到那里。见其家形景，自与荣宁不甚差别，或有一二稍盛者。细问，果有一宝玉。甄夫人留席，竟一日方回。宝玉不信。因晚间回家来，王夫人又吩咐预备上等的席面，定名班大戏，请过甄夫人母女。后二日，他母女便不作辞，回任去了，无话。（粗粗表过。毕竟是镜花水月，幻想的产物，不好也不必铺开细写。以现实主义的尺度来量度，有关甄家的段落纯属蛇足、败笔。满纸荒唐言……谁解其中味？可见，极伟大之主义也框不住《红楼梦》。杰作比任何创作理论创作方法都更丰富，更新鲜，更杰出。）

这日宝玉因见湘云渐愈，然后去看黛玉。正值黛玉才歇午觉，宝玉不敢惊动，因紫鹃正在回廊上手里做针线，便上来问他：『昨日夜里咳嗽的可好了？』紫鹃道：『好些了。』宝玉笑道：『阿弥陀佛！宁可好了罢。』紫鹃笑道：『你也念起佛来，真是新闻！』宝玉笑道：『所谓「病急乱投医」了。』一面说，一面见他穿着弹墨绫薄绵袄，外面只穿着青缎夹背心，宝玉便伸手向他身上抹了一抹，说道：『穿这样单薄，还在风口里坐着，时气又不好，你再病了，越发难了。』紫鹃便说道：『从此咱们只可说话，别动手动脚的。一年大，二年小的，叫人看着不尊重。（「一年大，二年小」云云，青春期的苦闷是也。）打紧的那起混账行子们背地里说你，你总不留心，还自管和小时一般行为，如何使得。姑娘常常吩咐我们，不叫和你说笑。你近来瞧他，远着你还恐远不及呢。』（其实也是爱护，但这种爱护令人心寒。）说着，便起身携了针线进别的房里去了。

宝玉见了这般景况，心中像浇了一盆冷水一般，只瞅着竹子发了一回呆。因祝妈正在那里刨土种竹，扫竹叶子，顿觉一时魂魄失守，随便坐在一块山石上出神，不觉滴下泪来。（笔触又转到宝黛爱情上来了。太平了一阵子，该出事了。宝玉至情至真，便是疯傻了。）直呆了一顿饭的工夫，千思万想，总不知如何是可。偶值雪雁从王夫人房中取了人参来，从此经过，忽扭头看见桃花树下石上一人，手托着腮颊，正出神呢：不是别人，却是宝玉。雪雁疑惑道：『怪冷的，他一个人在这里做什么？春天凡有残疾的人肯犯病，敢是他也犯了呆病了？』（取笑了。）一边想，一边便走过来，蹲下来笑道：『你在这里做什么呢？』宝玉忽见了雪雁，便说道：『你又做什么来找我？你难道不是女儿？他既防嫌，不许你们理我，你又来寻我，倘被人看见，岂不又生口舌？你快家去罢。』（也是幻想，也是推迟成人化的世界，盼望着永远的童年。）

雪雁听了，只当是他又受了黛玉的委屈，只得回至房中。黛玉未醒，将人参交给紫鹃。紫鹃因问他：『太太做什么呢？』雪雁道：『也睡中觉呢，所以等了这半日。姐姐，你听笑话儿：我因等太太的工夫，和玉钏儿姐姐坐在下房里说话儿，谁知赵姨奶奶招手儿叫我。我只当有什么话说，原来他和太太告了假，出去给他兄弟伴宿坐夜，明日送殡去。跟他的小丫头子小吉祥儿没衣裳，要借我的月白绫子袄儿。我想：他们一般也有两件子的，往这地方去，恐怕弄坏了，自己的舍不得穿，故此借别人的。（鄙吝至此，亦可叹观止。）借我的，弄坏了也是小事，只是我想他素日有什么好处到咱们跟前，所以我说：我的衣裳簪环，都是姑娘叫紫鹃姐姐收着呢。如今先得去告诉他，还得回姑娘，费多少事，别误了你老人家出门，不如再转借罢。』（雪雁也机灵。）紫鹃笑道：『你这个小东西儿，倒也巧。你不借给他，你推我和姑娘身上，好叫人怨不着你。他这会子就去呀，还是等明日一早才去呢？』雪雁道：『这会子就去的，只怕此时已去了。』紫鹃点头。雪雁道：『姑娘还没醒呢，是谁给了宝玉气受？坐在那里哭呢！』（宝玉的福气比天高比海深，从小泡在「蜜罐子」里，却也还得哭，更要哭！）紫鹃听了，忙问：『在那里？』雪雁道：『在沁芳亭后头桃花底下呢。』

紫鹃听说，忙放下针线，又嘱咐雪雁：『好生听叫。若问我，答应我就来。』说着，便出了潇湘馆，一径来寻宝玉。走至宝玉跟前，含笑说道：『我不过说了那么句话，为的是大家好，你就一气，跑了这风地里来哭，弄出病来还了得！』宝玉忙笑道：『谁赌气了！我因为听你说得有理，我想你们既这样说，自然别人也是这样说，将来渐渐的都不理我了，我所以想到这里，自己伤起心来了。』（『渐渐……不理』云云，人们在年龄渐长的过程中，也会产生一种怀念往日的天真烂漫、不愿意长大的情绪。扩而大之，这也是叹惜：『逝者如斯夫，不舍昼夜。』）紫鹃也便挨他坐着。宝玉笑道：『方才对面说话，你尚走开，这会子如何又来挨着我坐着？』紫鹃道：『你都忘了？几日前，你们姊妹两个正说话，赵姨娘一头走了进来，我才听见他不在家所以我来问你。正是前日你和他才说了一句「燕窝」，就歇住了，总没提起，我正想着问你。』宝玉道：『也没什么要紧，不过我想着宝姐姐也是客中，既吃燕窝，又不可间断，若只管和他要，也太托实。虽不便和太太要，我已经在老太太跟前略露了个风声，只怕老太太和凤姐姐说了。我告诉他的，竟不告诉完。如今我听见一日给你们一两燕窝，这也就完了。』（宝玉当然是关照细心。但他毕竟不掌权，此事后果到底如何，有没有早先黛玉顾虑到的那些问题，殊堪挂虑。）紫鹃道：『原来是你说了，这又多谢你费心。我们正疑惑，老太太怎么忽然想起来叫人每一日送一两燕窝来呢？这就是了。』宝玉笑道：『这要天天吃惯了，吃上三二年就好了。』紫鹃道：『在这里吃惯了，明年家去，那里有这闲钱吃这个。』

宝玉听了，吃了一惊，忙问：『谁家去？』紫鹃道：『妹妹回苏州去。』宝玉笑道：『你又说白话。苏州虽是原籍，因没了姑母，无人照看，才接了来的；明年回去找谁？可见你扯谎。』紫鹃冷笑道：『你太看小了人。你们贾家独是大族，人口多的；除了你家，别人只得一父一母，房族中真个再无人了不成？我们姑娘来时，原是老太太心疼他年小，虽有叔伯，不如亲父母，故此接来住几年。大了该出阁时，自然要送还林家的，终不成林家女儿在你贾家一世不成？林家虽贫到没饭吃，也是世代书香人家，断不肯将他家的人丢与亲戚，落的耻笑，所以早则明年春天，迟则秋天，这里纵不送去，林家亦必有人来接的。前日夜里姑娘和我说了，叫我告诉你，将从前小时玩的东西，有他送你的，叫你都打点出来还他；他也将你送他的打点在那里呢。』（或谓紫鹃在试探宝玉，但又事出有因，话出有因，并非为考验而出题目。紫鹃虽是戏言，却也句句字字真切合理。说明不仅宝黛，而且命运依附于黛玉的紫鹃，已经考虑到了进一步的事情。到了动真格的时候了。）宝玉听了，便如头顶上响了一个焦雷一般。（头顶上一个焦雷，岂是儿戏！）紫鹃看他怎么回答，等了半天，见他只不作声，才要再问，只见晴雯找来，说：『老太太叫你呢。谁知在这里。』紫鹃笑道：『他这里问姑娘的病症，我告诉了他半日，他只不信，你倒拉他去罢。』说着，自己便走回房去了。

晴雯见他呆呆的，一头热汗，满脸紫胀，忙拉他的手一直到怡红院中。袭人见了这般，慌起来了，只说时气所感，热身被风扑了。无奈宝玉发热事犹小可，更觉两个眼珠儿直直的起来，口角边津液流出，皆不知觉；给他个枕头，他便睡下；扶他起来，他便坐着；倒了茶来，他便吃茶。（进入「休克」状态。紫鹃用的是休克检验术。宝玉的心理健康状况，确有可疑之处。此前被马道婆妖术所侵，亦有一次这种精神失常、感情障碍的状况。）众人见了这样，一时忙乱起来，又不敢造次去回贾母，先要差人去请李嬷嬷来。一时李嬷嬷来了，看了半日，问他几句话，也无回答；用手向他脉上摸了摸，嘴唇人中上着力掐了两下，掐得指印如许来深，竟也不觉疼。李嬷嬷只说了一声：『可了不得了！』『呀』的一声，便搂头放声大哭起来。急得袭人忙拉他说：『你老人家瞧瞧可怕不怕，且告诉我们，去回老太太、太太去。你老人家怎么先哭起来？』李嬷嬷捶床倒枕说：『这可不中用了！我白操了一世的心了！』

袭人因他年老多知，所以请他来看，如今见他这般一说，都信以为实，也哭起来了。（奴才忠心报主，也有真情，也有利益、前途、未来共同体的关系，以至真情假意总是情。）晴雯便告诉袭人方才如此这般，袭人听了，便忙到潇湘馆来，见紫鹃正伏侍黛玉吃药，也顾不得什么，便走上来问紫鹃道：『你才和我们宝玉说了些什么话？你瞧瞧他去，你回老太太去，我也不管了！』说着，便坐在椅上。黛玉忽见袭人满面急怒，又有泪痕，举止大变，更不免也着了忙，因问：『怎么了？』袭人定了一回，哭道：『不知紫鹃姑奶奶说了些什么话，那个呆子眼也直了，手脚也冷了，话也不说了，李嬷嬷掐着也不疼了，已死了大半个了！连嬷嬷都说不中用了，那里放声大哭，只怕这会子都死了！』（爱者，至大矣！可死可生，生死攸关！喜剧性的言谈——情节描写之中包含着悲剧性的内容，读之笑而后泪下。）

黛玉听此言，李嬷嬷乃久经老妪，说不中用了，可知必不中用，『哇』的一声，将所服之药，一口呕出，抖肠搜肺、炙胃扇肝的，哑声大嗽了几阵，一时面红发乱，目肿筋浮，喘的抬不起头来。紫鹃忙上来捶背，黛玉伏枕喘息了半晌，推紫鹃道：『你不用捶！你竟拿绳子来勒死我，是正经。』（爱极成恨，成杀人。）紫鹃哭道：『我并没说什么，不过是说了几句玩话，他就认真了。』（紫鹃是个有心人。用心亦良苦矣！）袭人道：『你还不知道他那傻子，每每玩话认了真。』黛玉道：『你说了什么话？趁早儿去解说，他只怕就醒过来了。』紫鹃听说，忙下床，同袭人到了怡红院。谁知贾母王夫人等已都在那里了。贾母一见了紫鹃，便眼内出火，骂道：『你这小蹄子，和他说了什么？』紫鹃忙道：『并没敢说什么，不过说几句玩语。』谁知宝玉见了紫鹃，方『嗳呀』了一声，哭出来了。众人一见，都放下心来。贾母便拉住紫鹃，只当他得罪了宝玉，所以拉紫鹃命他赔罪。（解铃还须系铃人。）谁知宝玉一把拉住紫鹃，死也不放，说：『要去连我带了去。』

众人不解，细问起来，方知紫鹃说要回苏州去，一句玩话引出来的。贾母流泪道：『我当有什么要紧大事，原来是这句玩话。』又向紫鹃道：『你这孩子，素日是个伶俐聪敏的，你又知道他有个呆根子，平白的哄他做什么？』（他有真情，故曰呆根子。对紫鹃未再责骂，态度慈祥。）薛姨妈劝道：『宝玉本来心实，可巧林姑娘又是从小儿来的，他姊妹两个一处长得这么大，比别的姊妹更不同。这会子热刺刺的说一个去，别说他是个实心的傻孩子，便是冷心肠的大人，也要伤心。这并不是什么大病，老太太和姨太太只管万安，吃一两剂药就好了。』（有根治爱情的良药么？）

正说着，人回：『林之孝家的，赖大家的，都来瞧哥儿来了。』贾母道：『难为他们想着，叫他们来瞧瞧。』宝玉听了一个『林』字，便满床闹起来，说：『了不得了，林家的人接他们来了，快打出去罢！』（这里既有错乱一面，似亦有装疯卖傻一面。他『闹』的倾向性、目的性极明确的。）贾母听了，也忙说：『打出去罢。』又忙安慰说：『那不是林家的人，林家的人都死绝了，没人来接他的，你只放心罢！』宝玉哭道：『凭他是谁，除了林妹妹，都不许姓林的！』贾母道：『没姓林的来，凡姓林的都打出去了。』一面吩咐众人：『以后别叫林之孝家的进园来，你们也别说「林」字，孩子们，你们听了我这一句话罢！』（溺爱之情，舐犊之状，可怜煞也。）众人忙答应，又不敢笑。一时宝玉又一眼看见了十锦槅子上陈设的一双金西洋自行船，便指着乱说：『那不是接他们来的船来了？湾在那里呢！』贾母忙命拿下来。袭人忙拿下来。宝玉伸手要，袭人递过去，宝玉便掖在被中，笑道：『这可去不成了！』一面说，一面死拉着紫鹃不放。

一时人回：『大夫来了。』贾母忙命：『快进来。』王夫人、薛姨妈、宝钗等暂避入里间。贾母便端坐在宝玉身旁。王太医进来，见许多的人，忙上去请了贾母的安，拿了宝玉的手，诊了一回。那紫鹃少不得低了头。王太医也不解何意，起身说道：『世兄这症，乃是急痛迷心。古人曾云：「痰迷有别：有气血亏柔饮食不能熔化痰迷者，有怒恼中痰急而迷者，有急痛壅塞者。」此亦痰迷之症，系急痛所致，不过一时壅蔽，较诸痰迷似轻。』（果真能诊出『系急痛所致』，倒是反映了中医精神病学的高水平。）贾母道：『你只说怕不怕，谁同你背药书呢！』王太医忙躬身笑道：『不妨，不妨。』贾母道：『果真不妨？』王太医道：『实在不妨。都在晚生身上。』（知道『不妨』了，说话便放松了。）贾母道：『既如此，请到外面坐，开药方。吃好了，我另外预备好谢礼，叫他亲自捧了，送去磕头；若耽误了，我打发人去拆了太医院的大堂。』（小有噱头。）王太医只躬身陪笑说：『不敢，不敢。』他原听了说『另具上等谢礼命宝玉去磕头』，故满口说『不敢』，竟未听见贾母后来说『拆太医院』之戏语，犹说『不敢』，贾母与众人反倒笑了。

一时按方煎药，药来服下，果觉比先安静。（当时已有安神控躁之药了。）无奈宝玉只不肯放紫鹃，只说：『他去了，便是要回苏州去了。』贾母王夫人无法，只得命紫鹃守着他，另将琥珀去伏侍黛玉。黛玉不时遣雪雁来探消息。这晚间宝玉稍安，贾母王夫人等方回去了，一夜还遣人来问信几次。李奶妈带宋妈等几个年老人用心看守，紫鹃、袭人、晴雯等日夜相伴。有时宝玉睡去，必从梦中惊醒，不是哭了，说黛玉已去，便是说有人来接。（小说不但要写人的常态，更要写人的异态、变态、病态，何况宝玉。）每一惊时，必得紫鹃安慰一番方罢。彼时贾母又命将祛邪守灵丹及开窍通神散各样上方秘制诸药，按方饮服，次日又服了王太医药，渐次好了起来。宝玉心下明白，因恐紫鹃回去，倒故意作出佯狂之态。（佯狂与真狂其实难以分辨。佯狂之为狂，无疑无异，故也是狂。）紫鹃自那日也着实后悔，如今日夜辛苦，并没有怨意。袭人等皆心安神定，因向紫鹃笑道：『都是你闹的，还得你来治。也没见我们这位呆子，「听见风就是雨」，往后怎么好。』（往后怎么好？往后更是大事不好！）暂且按下。

谁闹的谁治，哪儿出的问题哪儿解决，这样一种追本溯源式的医学（不只医学）思路，很有特点。其实，因与果的关系并非如此简单直接。

且说此时湘云之症已愈，天天过来瞧看，见宝玉明白了，便将他病中狂态形容与他瞧，引得宝玉自己伏枕而笑。原来他起先那样，竟是不知的；如今听人说，还不信。无人时，紫鹃在侧，宝玉又拉他的手，问道：『你为什么唬我？』紫鹃道：『不过是哄你玩的，你就认真。』宝玉道：『你说得那样有情有理，如何是玩话呢？』紫鹃笑道：『那些玩话，都是我编的。林家实没了人口；纵有，也是极远的族中，也都不在苏州住，各省流寓不定。纵有人来接，老太太也必不放去的。』宝玉道：『便老太太放去，我也不依！』紫鹃笑道：『果真的不依？只怕是口里的话。你如今也大了，连亲也定下了，过二三年再娶了亲，你眼睛里还有谁了。』

宝玉听了，又惊问：『谁定了亲，定了谁？』紫鹃笑道：『年里我就听见老太太说要定了琴姑娘呢；不然，那么疼他？』（这样说其实绕开了矛盾。也可能是紫鹃确有疑心。）宝玉笑道：『人人只说我傻，你比我更傻！不过是句玩话，他已经许给梅翰林家了。果然定下了他，我还是这个形景了？先是我发誓赌咒，砸这劳什子，你都没劝过吗？我病的刚刚的这几日才好了，你又来怄我！』一面说，一面咬牙切齿的，又说道：『我只愿这会子立刻我死了，把心迸出来，你们瞧见了，然后连皮带骨，一概都化成一股灰，再化成一股烟，一阵大风，吹得四面八方，都登时散了，这才好！』（心是看不见的。心是不容易被人知的。知心最可贵。心不被知最痛苦。）一面说，一面又滚下泪来。紫鹃忙上来握他的嘴，替他擦眼泪；又忙笑解释道：『你不用着急。这原是我心里着急，故来试你。』（掬诚相告。）

宝玉听了，更又咤异，问道：『你又着什么急？』紫鹃笑道：『你知道，我并不是林家的人，我也和袭人鸳鸯是一伙的，偏把我给了林姑娘使，偏生他又和我极好，比他苏州带来的还好十倍，一时一刻，我们两个离不开。我如今心里却愁他倘或要去了，我必要跟了他去的。（绕开了爱情谈婚姻的可能性。回想一下我们的先辈是生活在一种严禁爱情的文化传统、道德标准下面的，不禁毛骨悚然。）我是合家在这里，我若不去，辜负了我们素日的情长；若去，又弃了本家。所以我疑惑，故说出这谎话来问你，谁知你就傻闹起来。』宝玉笑道：『原来是你愁这个，所以你是傻子！从此后再别愁了。我告诉你一句打趸儿的话：活着，咱们一处活着；不活着，咱们一处化灰，化烟。如何？』（宣誓了。）

紫鹃听了，心下暗暗筹画。（然而，这仍然不是婚姻的许诺与保证。紫鹃的『暗暗筹画』仍然是太早了，而且是一厢情愿。）忽有人回：『环爷兰哥儿问候。』宝玉道：『就说难为他们，我才睡了，不必进来。』婆子答应去了。紫鹃笑道：『你也好了，该放我回去瞧瞧我们那一个去了。』宝玉道：『正是这话。我昨夜就要叫你去的，偏又忘了。我已经大好了，你就去罢。』紫鹃听说，方打迭铺盖妆奁之类。宝玉笑道：『我看见你文具里头有两三面镜子，你把那面小菱花的给我留下罢。我搁在枕头傍边，照着好睡，明日出门带着也轻巧。』紫鹃听说，只得与他留下。先命人将东西送过去，然后别了众人，自回潇湘馆来。

黛玉近日闻得宝玉如此形景，未免又添些病症，多哭几场。今儿紫鹃来了，问其原故，已知大愈，仍遣琥珀去伏侍贾母。夜间人静后，紫鹃已宽衣卧下之时，悄向黛玉笑道：『宝玉的心倒实，听见咱们去，就那样起来。』黛玉不答。紫鹃停了半晌，自言自语的说道：『一动不如一静，我们这里就算好人家，别的都容易，最难得的是从小儿一处长大，脾气情性都彼此知道的了。』（宝黛感情，已不仅是两小无猜，也不仅是海誓山盟了。能不能结成理想的良缘，这个现实问题已经提到了议事日程上了。）黛玉啐道：『你这几天还不乏，趁这会子不歇一歇，还嚼什么蛆！』紫鹃笑道：『倒不是白嚼蛆，我倒是一片真心为姑娘。替你愁了这几年了：无父母无兄弟，谁是知冷知热的人？趁早儿，老太太还明白硬朗的时节，作定了大事要紧。俗语说：「老健春寒秋后热。」倘或老太太一时有个好歹，那时虽也完事，只怕耽误了时光，还不得趁心如意呢。公子王孙虽多，那一个不是三房五妾，今日朝东，明日朝西？要一个天仙来，也不过三夜五夜，也就撂在脖子后头了。甚至于怜新弃旧，反目成仇的。若娘家有人有势的，还好些；若姑娘这样的人，有老太太一日还好，一日若没了老太太，也只是凭人去欺负罢了。（势甚可危。）所以说，拿主意要紧。

姑娘是个明白人，岂不闻俗语说的「万两黄金容易得，知心一个也难求」！』（小姐清高，丫头务实，小姐的事只能是丫鬟操心，呜呼！）黛玉听了，便说道：『这丫头今日可疯了，怎么去了几日，忽然变了一个人？我明日必回老太太，退回你去，我不敢要你了。』紫鹃笑道：『我说的是好话，不过叫你心里留神，并没叫你去为非作歹。何苦回老太太，叫我吃了亏，又有什么好处？』（谁敢面对真实、真情、真忠？紫鹃真忠臣也。）说着，竟自己睡了。黛玉听了这话，口内虽如此说，心内未尝不伤感。待他睡了，便直哭了一夜，至天明，方打了一个盹儿。次日，勉强盥漱了，吃了些燕窝粥。（此病非燕窝能奏效矣。）便有贾母等亲来看视了，又嘱咐了许多话。

目今是薛姨妈的生日，自贾母起，诸人皆有祝贺之礼，黛玉也只得备了两色针线送去。（「只得」何意？不情愿乎？）是日也定了一班小戏，请贾母与王夫人等。独有宝玉与黛玉二人不曾去得。至晚散时，贾母等顺路又瞧了他二人一遍，方回房去。次日，薛姨妈家又命薛蝌陪诸伙计吃了一天酒，连忙了三四天，方才完结。因薛姨妈看见邢岫烟生的端雅稳重，且家道贫寒，是个钗荆裙布的女儿，便欲说与薛蟠为妻。（找媳妇时眼睛适当往下看。盖夫贵即可妻荣，妻随夫走，找个贫寒的正好。）因薛蟠素昔行止浮奢，又恐遭塌了人家女儿，正在踌躇之际，忽想起薛蝌未娶，看他二人，恰是一对天生地设的夫妻，因谋之于凤姐儿。凤姐儿笑道：『姑妈素知我们太太有些左性的，这事等我慢谋。』（凤姐不敢随意与邢夫人打交道。）

因贾母去瞧凤姐儿时，凤姐儿便和贾母说：『薛姨妈有一件事求老祖宗，只是不好启齿的。』贾母忙问：『何事。』凤姐便将求亲一事说了。贾母笑道：『这有什么不好启齿，这是极好的好事，等我和你婆婆说了，怕他不依？』因回房来，即刻就命人来请了邢夫人过来，硬作保山。邢夫人想了一想：薛家根基不错，且现今大富，薛蝌生得又好；且贾母又作保山。将计就计，便应了。（这里用「将计就计」四字令人觉得好笑。反正邢夫人「左性」，接受同意也最多是个「将计就计」。）

贾母十分喜欢，忙命人请了薛姨妈来，二人见了，自然有许多谦辞。邢夫人即刻命人去告诉邢忠夫妇。他夫妇原是此来投靠邢夫人的，如何不依，早极口的说：『妙极。』贾母笑道：『我最爱管闲事，今日又管成了一件事，不知得多少谢媒钱？』薛姨妈笑道：『这是自然的。纵抬了整万银子来，只怕不稀罕。但只一件，老太太既是作媒，还得一位主亲才好。』贾母笑道：『别的没有，我们家折腿烂手的人还有两个。』说着，便命人去叫过尤氏婆媳二人来。贾母告诉他原故，彼此忙都道喜。贾母吩咐道：『咱们家的规矩，你是尽知的，从没有两亲家「争礼争面」的。如今你算替我在当中料理，不可太省，也不可太费，把他两家的事周全了回我。』尤氏忙答应了。薛姨妈喜之不尽，回家命写了请帖，补送过宁府。（薛姨妈不考虑邢夫人的「左性子」吗？还是另有谋划？）尤氏深知邢夫人性情，本不欲管，无奈贾母亲自嘱咐，只得应了。惟忖度邢夫人之意行事。薛姨妈是个无可无不可的人，倒还易说。这且不在话下。

如今薛姨妈既定了邢岫烟为媳，合宅皆知。邢夫人本欲接出岫烟去住，贾母因说：『这又何妨？两个孩子又不能见面，就是姨太太和他一个大姑子，一个小姑子，又何妨？况且都是女孩儿，正好亲近些呢。』（这样，宝钗的婚事问题就排到前面来了。）邢夫人方罢。那薛蝌岫烟二人，前次途中，曾有一面之遇，大约二人心中皆如意，只是那岫烟未免比先时拘泥了些，不好与宝钗姐妹共处闲谈；又兼湘云是个爱取笑的，更觉不好意思。幸他是个知书达礼的，虽是女儿，还不是那种佯羞诈鬼、一味轻薄造作之辈。

宝钗自那日见他起，想他家业贫寒；二则别人的父母皆是年高有德之人，独他的父母偏是酒糟透了的人，于女儿分中平常；邢夫人也不过是脸面之情，亦非真心疼爱；且岫烟为人雅重，迎春是个老实人，连他自己尚未照管齐全，如何能管到他身上，凡闺阁中家常一应需用之物，或有亏乏，无人照管，他又不与人张口。宝钗倒暗中每相体贴接济，也不敢与邢夫人知道，也恐怕是多心闲话之故。如今却是众人意料之外奇缘作成这门亲事。（何奇之有？亲上做亲，封闭循环，造成退化的一个因素。）岫烟心中先取中宝钗，有时仍与宝钗闲话，宝钗仍以姊妹相呼。（宝钗处理此事，仍是与人为善而又面面俱到。）

这日宝钗因来瞧黛玉，恰值岫烟也来瞧黛玉，二人在半路相遇。宝钗含笑唤他到跟前，二人同走。至一块石壁后，宝钗笑问道：『这天还冷的很，你怎么倒全换了夹的了？』岫烟见问，低头不答。宝钗便知道又有了原故，因又笑问道：『必定是这个月的月钱又没得？凤姐姐如今也这样没心没计了。』岫烟道：『他倒想着不错日子给的。因姑妈打发人和我说道：一个月用不了二两银子，叫我省一两给爹妈送出去；要使什么，横竖有二姐姐的东西，能着些搭着就使了。姐姐想：二姐姐是个老实人，也不大留心。我使他的东西，他虽不说什么，他那些妈妈丫头，那一个是省事的？那一个是嘴里不尖的？我虽在那屋里，却不敢很使唤他们。过三天五天，我倒得拿些钱出来，给他们打酒买点心吃才好。因此，一月二两银子还不够使，如今又去了一两。前日我悄悄的把棉衣服叫人当了几吊钱盘缠。』（为奴难，为主岂易？任何关系都有它的内情。外面看去，则是只知其一，不知其二。）宝钗听了，愁叹道：『偏梅家又合家在任上，后年才进来。若是在这里，琴儿过去了，好再商议你这事，离了这里就完了。如今不完了他妹妹的事，也断不敢先娶亲的。如今倒是一件难事。再迟两年，我又怕你熬煎出病来。等我和妈妈再商议。』（宝钗心细。）

宝钗又指他裙上一个璧玉佩问道：『这是谁给你的？』岫烟道：『这是三姐姐给的。』宝钗点头道：『他见人人皆有，独你一个没有，怕人笑话，故此送一个，这是他聪明细致之处。』岫烟又问：『姐姐此时那里去？』宝钗道：『我到潇湘馆去。你且回去，把那当票子叫丫头送来我那里，悄悄的取出来，晚上再悄悄的送给你去，早晚好穿；不然，风闪着还了得！但不知当在那里了？』岫烟道：『叫做什么恒舒，是鼓楼西大街的。』宝钗笑道：『这闹在一家去了！伙计们倘或知道了，好说「人没过来，衣裳先到了」。』（薛家未来的儿媳跑到薛家的当铺当东西。命运就是这样善与人开玩笑。）岫烟听说，便知是他家的本钱，也不答，红了脸一笑，二人走开。（宝钗广结善缘，又得一票——当票。）

宝钗就往潇湘馆来，恰正值他母亲也来瞧黛玉，正说闲话呢。宝钗笑道：『妈妈多早晚来的？我竟不知道。』薛姨妈道：『我这几日忙，总没来瞧瞧宝玉和他，所以今日瞧他两人。都也好了。』黛玉忙让宝钗坐了，因向宝钗道：『天下的事，真是人想不到的。拿着姨妈和大舅母说起，怎么又作一门亲家。』薛姨妈道：『我的儿，你们女孩儿家那里知道？自古道：「千里姻缘一线牵。」管姻缘的有一位月下老人，预先注定，暗里只用一根红丝，把这两个人的脚绊住，凭你两家那怕隔着海国呢，若有姻缘的，终久有机会作了夫妇。这一件事，都是出人意料之外。凭父母本人都愿意了，或是年年在一处，已为是定了的亲事，若是月下老人不用红线拴的，再不能到一处。比如你姐妹两个的婚姻，此刻也不知在眼前，也不知在山南海北呢！』（有意无意地向黛玉进行服从命运、莫可如何的『教育』。岂不说到黛玉的心病上？）宝钗道：『惟有妈妈说动话拉上我们！』一面说，一面伏在母亲怀里，笑说：『咱们走罢。』黛玉就笑道：『你瞧！这么大了，离了姨妈，他就是个最老到的；见了姨妈，他就撒娇儿。』薛姨妈将手摩弄着宝钗，向黛玉叹道：『你这姐姐，就和凤哥儿在老太太跟前一样：着了正经事，就有话和他商量；没有了事，幸亏他开我的心。我见了他这样，有多少愁不散的。』

黛玉听说，流泪叹道：『他偏在这里这样，分明是气我没娘的人，故意来形容我！』宝钗笑道：『妈妈，你瞧他这轻狂样儿，倒说我撒娇儿！』薛姨妈道：『也怨不得他伤心，可怜没父母，到底没个亲人。』又摩挲黛玉，笑道：『好孩子，别哭。你见我疼你姐姐，你伤心，你知我心里更疼你呢！（话可以这样说，然而更觉无可指望。）你姐姐虽没父亲，到底有我，有亲哥哥，这就比你强了。我常和你姐姐说，心里很疼你，只是外头不好带出来的。你这里人多嘴杂，说好话的人少，说歹话的人多；不说你无依靠，为人做人可配人疼，只说我们看老太太疼你了，我们也『洑上水』去了。』（薛姨妈一大堆话，虽不虚伪，仍嫌浮泛。此种顾虑就很难说服人：薛的处境很好，对黛玉好一点，不会产生高攀的意思，何『上水』之有？）黛玉笑道：『姨妈既这么说，我明日就认姨妈做娘。姨妈若是弃嫌，便是假意疼我。』薛姨妈道：『你不厌我，就认了。』宝钗忙道：『认不得的。』黛玉道：『怎么认不得？』宝钗笑道：『我且问你：

我哥哥还没定亲事，为什么反将邢妹妹先说与我兄弟了？是什么道理？』黛玉道：『他不在家，或是属相生日不对，所以先说与兄弟了。』宝钗笑道：『不是这样。我哥哥已经相准了，只等来家就放定，也不必提出人来。我说你认不得娘，你细想去！』说着，便和他母亲挤眼儿发笑。

黛玉听了，便一头伏在薛姨妈身上，说道：『姨妈不打他，我不依！』薛姨妈搂着他笑道：『你别信你姐姐的话，他是和你玩呢。』宝钗笑道：『真个妈妈明日和老太太求了，聘作媳妇，岂不比外头寻的好？』黛玉便拢上来要抓他，口内笑说：『你越发疯了！』薛姨妈忙笑劝，用手分开方罢。又向宝钗道：『连邢姑娘我还怕你哥哥遭塌了他，所以给你兄弟，别说这孩子，我也断不肯给他。前日老太太要把你妹妹说给宝玉，偏生又有了人家；不然，倒是门子好亲事。前日我说定了邢姑娘，老太太还取笑说：「我原要说他的人，谁知他的人没到手，倒被他说了我们一个去了。」虽是玩话，细想来倒也有些意思。我想宝琴虽有了人家，我虽无人可给，难道一句话也不说？我想你宝兄弟，老太太那样疼他，他又生得那样，若要外头说去，老太太断不中意，不如把你林妹妹定与他，岂不四角俱全？』（说得倒好，谁来做主呢？于是，便成了空话废话，说说而已。甚至难保没有试探之意。她对钗许配与宝玉的可能性更不可能没考虑过，只是故意不说罢了。）

黛玉先还怔怔的听，后来见说到自己身上，便啐了宝钗一口，红了脸，拉着宝钗笑道：『我只打你！为什么招出姨妈这些老没正经的话来？』宝钗笑道：『这可奇了！妈妈说你，为什么打我？』紫鹃忙跑来笑道：『姨太太既有这主意，为什么不和老太太说去？』薛姨妈笑道：『这孩子急什么！想必催着姑娘出了阁，你也要早些寻一个小女婿子去了。』（可见是浮泛空话，傻紫鹃当了真，被取笑了。）紫鹃也红了脸，笑道：『姨太太真个倚老卖老的！』说着便转身去了。黛玉先骂：『又与你这蹄子什么相干！』后来见了这样，也笑道：『阿弥陀佛！该，该，该！也臊了一鼻子灰去了！』薛姨妈母女及婆子丫鬟都笑起来。（说说笑笑中把这个婚姻大事的安排问题摆出来了。可见，宝黛做亲的可能性也是人人心中都有。心中皆有，却无人上心真正去办，这是黛玉的处境的可悲处。那时女子不能自主，出嫁之前如无父母操持，何等凄惶！）

薛姨妈素日似不见有这么多话，连紫鹃也打趣上了。是她心情特别愉快吗？岫烟的亲做成了，几个家族的关系越发牢不可破了。显得话多而且有些油滑，影响了她的话的真诚可信的程度。至少客观上，事后回想起来，她的这些话变成了得便宜卖乖，甚至变成了戏弄，有点残酷。但我宁愿相信她无恶意。无意的残酷，更残酷。

一语未了，忽见湘云走来，手里拿着一张当票，口内笑道：『这是什么账篇子？』黛玉瞧了，不认得。地下婆子都笑道：『这可是一件好东西！这个乖不是白教的。』宝钗忙一把接了看时，正是岫烟才说的当票子，忙折了起来。薛姨妈忙说：『那必是那个妈妈的当票子失落了，回来急得他们找。那里得的？』湘云道：『什么「当票子」？』众人笑道：『真真是个呆子，连当票子也不知道！』（高贵者无知，乃有『高贵者最愚蠢』之讥。）薛姨妈叹道：『怨不得他，真真是侯门千金，而且又小，那里知道这个？那里去看这个？就是家下人有这个，他如何得见？别笑他是呆子，若给你们家的姑娘看了，也都成了呆子。』众婆子笑道：『林姑娘方才也不认得。别说姑娘们，就如宝玉，倒是外头常走出去的，只怕也还没见过呢。』薛姨妈忙将原故讲明，湘云黛玉二人听了，方笑道：『这人也太会想钱了！姨妈家当铺也有这个不成？』众人笑道：『这更呆了！「天下老鸹一般黑」，岂有两样的。』

薛姨妈因又问：『是那里拾的？』湘云方欲说时，宝钗忙说：『是一张死了没用的，不知是那年勾了账的。香菱拿着哄他们玩的。』（随时遮掩，遮掩有术。）薛姨妈听了此话是真，也就不问了。

一时人来回：『那府里大奶奶过来请姨太太说话呢。』薛姨妈起身去了。这里屋内无人时，宝钗方问湘云：『何处拾的？』湘云笑道：『我见你令弟媳的丫头篆儿悄悄的递与莺儿，莺儿便随手夹在书里，只当我没看见。我等他们出去了，我偷着看，竟不认得。知道你们都在这里，所以拿来大家认认。』黛玉忙问：『怎么他也当衣裳不成？既当了，怎么又给你？』

宝钗见问，不好隐瞒他两个，便将方才之事，都告诉了他二人。黛玉便说：『兔死狐悲，物伤其类。』不免也要感叹起来了。史湘云听了，便动了气，说：『等我问着二姐姐去！我骂那起老婆子丫头一顿，给你们出气，何如？』说着，便要走出去，宝钗忙一把拉住，笑道：『你又发疯了，还不给我坐下呢！』黛玉笑道：『你要是个男人，出去打一个抱不平儿；你又充什么荆轲、聂政？真真好笑。』（黛玉此话倒似接受了宝钗的观念，不知是有意如此写还是疏忽。）湘云道：『既不叫问他去，明日也可把他接到咱们院里一处住去，岂不是好？』宝钗笑道：『明日再商量。』说着，人报：『三姑娘四姑娘来了。』三人听说，忙掩了口，不提此事。要知端详，且听下回分解。

薛蝌岫烟的婚事，不费吹灰之力就定下来了，而且各方满意。岫烟虽有困难，但因终身有靠，也便都能克服过去。他们没有什么爱不爱、知心不知心的问题，所以轻松『幸福』。宝黛则只能为之死去活来，疯去傻来。紫鹃与宝、黛，薛姨妈与黛，说得这样明白透彻了，然而，一点也不中用。紫鹃对黛玉婚事之关切，更反衬出黛玉婚事无人做主的苦况。

或说宝黛爱情是『红』的主线，但用的篇幅并不甚多，第三回见面摔玉，第十九回静日生香，二十七回葬花与解释误会，三十四回赠帕题诗，到此一回，愈益病上加病，痴里更痴，苦中犹苦，能不为之掩涕！

第五十八回　杏子阴假凤泣虚凰　茜纱窗真情揆痴理

话说他三人因见探春等进来，忙将此话掩住不提。探春等问候过，大家说笑了一回方散。

谁知上回所表的那位老太妃已薨，（这位老太妃的死或可令人想起元春的命运来。）凡诰命等皆入朝随班，按爵守制；敕谕天下，凡有爵之家，一年内不得筵宴音乐，庶民皆三月不得婚姻。贾母婆媳祖孙等俱每日入朝随祭，至未正以后方回。在大偏宫二十一日后，方请灵入先陵，地名孝慈县。这陵离都来往得十来日之功，如今请灵至此，还要停放数日，方入地宫，故得一月光景。（正事实事不多，虚礼摆样子的无事忙不少。）宁府贾珍夫妻二人，也少不得是要去的：两府无人，因此大家计议，家中无主，便报了『尤氏产育』，将他腾挪出来，协理宁荣两处事件。因托了薛姨妈在园内照管他姊妹丫鬟，薛姨妈只得也挪进园来。（可忆及凤姐管理协理荣宁二府的盛况。此一协理已非彼一协理矣！）因宝钗处有湘云香菱，李纨处目今李婶母虽去，然有时来往，三五日不定，贾母又将宝琴送与他去照管；迎春处有岫烟；探春因家务冗杂，且不时有赵姨娘与贾环嘈聒，甚不方便；惜春处房屋狭小。（颠来倒去，就这么几个人。封闭生活，哪怕是天堂般的生活，终无趣味。）况贾母又千叮咛万嘱咐托他照管林黛玉，薛姨妈素习也最怜爱他的，今既巧遇这事，便挪至潇湘馆来和黛玉同房，一应药饵饮食，十分经心。黛玉感戴不尽，以后便亦如宝钗之称呼，连宝钗前亦直以『姐姐』呼之，宝琴前直以『妹妹』呼之，俨似同胞共出，较诸人更似亲切。（又近了一步，为何要近成这个样子，能解释得清楚吗？反正解释成黛玉中计是太简单化了。也许『红』要写的正是这解不开的『理还乱』吧。）贾母见如此，也十分喜悦放心。薛姨妈只不过照管他姊妹，禁约得丫鬟辈；一应家中大小事务也不肯多口。尤氏虽天天过来，也不过应名点卯，亦不肯乱作威福。且他家内上下，也只剩他一人料理；再者，每日还要照管贾母王夫人的下处一应所需饮馔铺设之物：所以也甚操劳。

当下荣宁两处主人既如此不暇，并两处执事人等，或有跟随着入朝的，或有朝外照理下处事务的，又有先踩踏下处的，也都各各忙乱。因此两处下人无了正经头绪，也都偷安，或乘隙结党，与权暂执事者窃弄威福。荣府只留得赖大并几个管家照管外务。这赖大手下常用几个人已去，虽另委人，都是些生的，只觉不顺手。且他们无知，或赚骗无节，或呈告无据，或举荐无因，种种不善，在在生事，也难备述。（缺少自觉运转、互相制约的机制。贾府事务运作，很大程度上靠高压、手腕、精明与适度平衡的人治——基本上是贾母—王夫人—凤姐之治。这样，这种治理就很易受到削弱、干扰，直至破坏。风气又坏，奈何。）

又见各官宦家，凡养优伶男女者，一概蠲免遣发，尤氏等便议定，待王夫人回家回明，也欲遣发十二个女孩子。又说：『这些人原是买的，如今虽不学唱，尽可留着使唤，只令其教习们自去也罢了。』王夫人因说：『这学戏的倒比不得使唤的，他们也是好人家的女儿，因无能，卖了做这事，装丑弄鬼的几年，（演戏叫做『装丑弄鬼』。）如今有这机会，不如给他们几两银子盘费，各自去罢。当日祖宗手里都是有这例的。咱们如今损阴坏德，而且还小器。如今虽有几个老的还在，那是他们各有原故，不肯回去的，所以才留下使唤的，大了配了我们家里小厮们了。』（王夫人何等宽厚！与她后来的处理芳官成为对比。）尤氏道：『如今我们也去问他十二个，有愿意回去的，就带了信儿，叫他父母来亲自领回去，给他们几两银子盘缠，方妥。倘若不叫上他的亲人来，只怕有混账人冒名领出去，又转卖了，岂不辜负了这恩典？若有不愿意回去的，就留下。』王夫人笑道：『这话妥当。』（文艺工作者的地位与下场。）

尤氏等遣人告诉了凤姐儿，一面说与总理房中，每教习给银八两，令其自便。凡梨香院一应物件，查清记册收明，派人上夜。将十二个女孩子叫来，当面细问，倒有一多半不愿意回家的：也说父母虽有，他只以卖我们姊妹为事，这一去还被他卖了；也有父母已亡，或被叔伯兄弟所卖的；也有说无人可投的；也有说恋恩不舍的。（也是守做奴隶。）所愿去者止四五人。王夫人听了，只得留下。将去者四五人皆令其干娘领回家去，单等他亲父母来领；将不愿去者，分散在园中使唤。贾母便留下文官自使，将正旦芳官指与宝玉，将小旦蕊官送了宝钗，将小生藕官指与了黛玉，（正旦给宝玉，小生给黛玉，不知是弗洛伊德还是阴阳调和之意。）将大花面葵官送了湘云，将小花面豆官送了宝琴，将老外艾官指与了探春，尤氏便讨了老旦茄官去。当下各得其所，就如那倦鸟出笼，每日园中游戏。众人皆知他们不能针黹，不惯使用，皆不大责备。其中或有一二个知事的，愁将来无应时之技，亦将本技丢开，便学起针黹纺绩女工诸务。（表演艺术工作者自古面临转业问题。）

一日正是朝中大祭，贾母等五更便去了。下处用些点心小食，然后入朝。早膳已毕，方退至下处歇息。用过早饭，略歇片刻，复入朝侍中晚二祭，方出至下处歇息。用过晚饭方回家。可巧这下处乃是一个大官的家庙，乃比丘尼焚修，房舍极多极净，东西二院，荣府便赁了东院，北静王府便赁了西院。太妃少妃每日晏息，见贾母等在东院，彼此同出同入，都有照应。外面诸事不消细述。

且说大观园内，因贾母王夫人天天不在家内，又送灵去一月方回，各丫鬟婆子，皆有闲空，多在园内游玩，更又将梨香院内伏侍的众婆子一概撤回，并散在园内听使，更觉园内人多了几十个。因文官等一干人，或心性高傲，或倚势凌下，或拣衣挑食，或口角锋芒，（实是文艺工作者的通病。）大概不安分守己者多，因此众婆子含怨，只是口中不敢与他们分争；如今散了学，大家趁了愿，也有丢开手的，也有心地狭窄犹怀旧怨的，因将众人皆分在各房名下，不敢来厮侵。（文艺工作者常有积怨，乃是隐患。）

可巧这日乃是清明之日，贾琏已备下年例祭祀，带领贾环、贾琮、贾兰三人去往铁槛寺祭柩烧纸；宁府贾蓉也同族中人各办祭祀前往。因宝玉病未大愈，故不曾去得。饭后发倦，袭人因说：『天气甚好，你且出去逛逛，省的丢下粥碗就睡，存在心里。』宝玉听说，只得拄了一支杖，（已经拄上杖了，能有什么希望？）靸着鞋，走出院来。因近日将园中分与众婆子料理，各司各业，皆在忙时：也有修竹的，也有剔树的，也有栽花的，也有种豆的，池中间又有驾娘们行着船夹泥的，种藕的。湘云、香菱、宝琴与些丫鬟等都坐在山石上瞧他们取乐。宝玉也慢慢行来。湘云见了他来，忙笑说：『快把这船打出去！他们是接林妹妹的。』（湘云的这类反应似缺心眼儿，不知爱史者怎么看？）众人都笑起来。宝玉红了脸，也笑道：『人家的病，谁是好意的，你也形容着取笑儿。』湘云笑道：『病也比人家另一样，原招笑儿，反说起人来。』说着，宝玉便也坐下，看着众人忙乱了一回。湘云因说：『这里有风，石头上又冷，坐坐去罢。』

宝玉也正要去瞧黛玉，起身拄拐，辞了他们，从沁芳桥一带堤上走来。只见柳垂金线，桃吐丹霞，山石之后，一株大杏树，花已全落，叶稠阴翠，上面已结了豆子大小的许多小杏。宝玉因想道：『能病了几天，竟把杏花辜负了！不觉到「绿叶成阴子满枝」了！』因此仰望杏子不舍。又想起邢岫烟已择了夫婿一事，虽说男女大事，不可不行，但未免又少了一个好女儿，不过二年，便也要「绿叶成阴子满枝」了；再过几日，这杏树子落枝空，再几年，岫烟也不免乌发如银，红颜似槁了。因此，不免伤心，只管对杏叹息。（贾宝玉对光阴流逝十分敏感。至情在我，兼及杏、及鸟、及人。此大悲之心，诗人之心，情圣之心，也是疯癫之状。这一类感慨不可没有，亦不可太多。没有则无情，太多则滥俗。）正悲叹时，忽有一个雀儿飞来，落于枝上乱啼。宝玉又发了呆性了，心下想道：『这雀儿必定是杏花正开时他曾来过，今见无花空有叶，故也乱啼。这声韵必是啼哭之声，可恨公冶长不在眼前，不能问他。但不知明年再发时，这个雀儿可还记得飞到这里来与杏花一会不能？』（最大的悲哀是时间，最大的故事是时间，最大的盼头也是时间。时间是一个变量。永无止息，永无循环，永无重复。）

正自胡思间，忽见一股火光，从山石那边发出，将雀儿惊飞，宝玉吃了一惊，又听外边有人喊道：『藕官，你要死！怎么弄些纸钱进来烧？我回奶奶们去，仔细你的肉！』宝玉听了，益发疑惑起来，忙转过山石看时，只见藕官满面泪痕，蹲在那里，手内还拿着火，守着些纸钱灰作悲。宝玉忙问道：『你与谁烧纸钱？快不要在这里烧！你或是为父母兄弟，你告诉我名姓，外头去叫小厮们，打了包袱写上名姓去烧。』藕官见了宝玉，只不做一声，宝玉数问不答。忽见一个婆子恶狠狠的走来拉藕官，（女儿都可爱，婆子都恶狠狠的，作者也是生活在宝玉的阴影下的。）口内说道：『我已经回了奶奶们，奶奶们气得了不得！』藕官听了，终是孩气，怕辱没了没脸，便不肯去。婆子道：『我说你们别太兴头过余了，如今还比得你们在外头乱闹呢！这是尺寸地方儿。』指着宝玉道：『连我们的爷还守规矩呢，你是什么阿物儿，跑来胡闹！怕也不中用，跟我快走罢！』宝玉忙道：『他并没烧纸钱，原是林姑娘叫他烧那烂字纸的，你没看真，反错告了他。』

藕官正没了主意，见了宝玉，也正添了畏惧，忽听他反替遮掩，心内转忧成喜，也便硬着口说道：『你狠看真是纸钱子么？我烧的是林姑娘写坏的字纸。』那婆子便弯腰向纸灰中拣出不曾化尽的遗纸在手内，说道：『你还嘴硬？有证又有凭，只和你厅上讲去。』说着，拉了袖子，拽着要走。宝玉忙拉藕官，又用拄杖隔开那婆子的手，说道：『你只管拿了回去，实告诉你，我昨夜做了一梦，梦见杏花神和我要一挂白钱，不可叫本房人烧，另叫生人替烧，我的病就好得快了。所以我请了白钱，巴巴的烦他来替我烧了。我今日才能起来，偏你又看见了。这会子又不好了，都是你冲了！还要告他去？藕官，你只管见他们去，就依着这话说。』（一说不成，再立一说，宝玉甚至有政治家、外交家的某些禀赋。）藕官听了，越得主意，反拉着要走。那婆子忙丢下纸钱，陪笑央告宝玉，说道：『我原不知道，若回太太，我这人岂不完了？』宝玉道：『你也不许再回，我便不说。』婆子道：『我已经回了，原叫我带他。只好说他被林姑娘叫去了。』宝玉点头应允，婆子自去。

这里宝玉细问藕官：『为谁烧纸？必非父母兄弟，定有私自的情理。』藕官因方才护庇之情，心中感激，知他是自己一流人物，（此句最妙。『自己一流』，说得好，宝玉也是文艺细胞。）况再难隐瞒，便含泪说道：『我这事，除了你屋里的芳官合宝姑娘的蕊官，并没第三个人知道。今日忽然被你撞见，这意思，少不得也告诉了你，只不许再对一人言讲。』又哭道：『我也不便和你面说，你只回去，背人悄悄问芳官就知道了。』说毕，怏怏而去。宝玉听了，心下纳闷，只得踱到潇湘馆瞧黛玉，越发瘦得可怜，问起来，比往日大好了些。黛玉见他也比先大瘦了，想起往日之事，不免流下泪来，些微谈了一谈，便催宝玉去歇息调养。（如果说黛玉此生是『还泪』的，那么宝玉此生便是『还魂』的了，他的魂灵，一点点渡给黛玉了也。）宝玉只得回来。因惦记着要问芳官原委，偏有湘云香菱来了，正和袭人芳官一处说笑，不好叫他，恐人又盘诘，只得耐着。

一时芳官又跟了他干娘去洗头，他干娘偏又先叫他亲女儿洗过才叫芳官洗。芳官见了这般，便说他偏心：『把你女儿的剩水给我洗。我一个月的月钱都是你拿着，沾我的光不算，反倒给我剩东剩西的！』他干娘羞恼变成怒，便骂他：『不识抬举的东西！怪不得人人都说戏子没一个好缠的，凭你什么好的，入了这一行，都学坏了。（我们有鄙薄艺术从业人员的悠久传统。）这一点子小崽子，也挑么挑六，咸嘴淡舌，咬群的骡子似的！』娘儿两个吵起来。

袭人忙打发人去说：『少乱嚷！瞅着老太太不在家，一个个连句安静话也都不说了。』晴雯因说：『这是芳官不省事，不知狂的什么？也不过是会两出戏，倒像杀了贼王、擒过反叛来的！』（晴雯也不忿！杀、擒云云，指的是战功。唱功如何与战功比！）袭人道：『「一个巴掌拍不响」，老的也太不公些，小的也太可恶些。』宝玉道：『怨不得芳官！自古说：「物不平则鸣。」他失亲少眷的在这里，没人照看，赚了他的钱，又作践他，如何怪得！』又向袭人说：『他到底一月多少钱？以后不如你收了过来照管他，岂不省事？』袭人道：『我要照看他，那里不照看了？又要他那几个钱才照看他？没的招人骂去了。』说着，便起身至那屋里，取了一瓶花露油、鸡蛋、香皂、头绳之类，叫了一个婆子来：『送给芳官去，叫他另要水自洗，不要吵闹了。』他干娘越发羞愧，便说芳官：『没良心！只说我克扣你的钱！』便向他身上拍了几下，芳官便哭起来。宝玉便走出来，袭人忙劝：『做什么？我去说他。』晴雯忙先过来，指他干娘说道：『你这么大年纪，太不懂事！你不给他好好的洗，我们才给他东西。你自己不臊，还有脸打他！他要是还在学里学艺，你也敢打他不成？』那婆子便说：『「一日叫娘，终身是母。」他排揎我，我就打得！』

袭人唤麝月道：『我不会和人拌嘴，晴雯性太急，你快过去震吓他两句。』（各有长短，此事偏由麝月做，但麝月性格毕竟不鲜明。）麝月听了，忙过来说道：『你且别嚷，我且问你：别说我们这一处，你看满园子里，谁在主子屋里教导过女儿的？就是你的亲女儿，既经分了房，有了主子，自有主子打骂；再者，大些的姑娘姐姐们也可以打得骂得，谁许你老子娘又半中间管起闲事来了！都这样管，又要叫他们跟着我们学什么？越老越没了规矩！你见前日坠儿的妈来吵，你如今也来跟他学！你们放心，因连日这个病那个病，再老太太又不得闲，所以我也没有去回。等两日咱们去痛回一回，大家把这威风煞一煞儿才好呢！况且宝玉才好了些，连我们也不敢说话，你反打得人狼号鬼哭的！上头出了几日门，你们就无法无天的，眼珠子里就没了人了。再两天，你们就该打我们了。他不要你这干娘，怕粪草埋了他不成？』（上上下下，似乎都受过牙口训练。）
宝玉恨得拿拄杖打着门槛子说道：『这些老婆子都是铁心石肠是的，真是大奇事！不能照看，反倒折挫他们。地久天长，如何是好？』晴雯道：『什么「如何是好」？都撵了出去，不要这些「中看不中吃的」！』（动辄说什么『撵了出去』，最后被撵出去的却是自己。不也是『现世报』吗？）那婆子羞愧难当，一言不发。那芳官只穿着海棠红的小绵袄，底下绿绸洒花夹裤，敞着裤腿，一头乌油似的头发披在脑后，哭得泪人一般。麝月笑道：『把个莺莺小姐反弄成才拷打完的红娘了！这会子又不妆扮了，还是这么着？』晴雯因走过去拉了他，替他洗净了发，用手巾拧干，松松的挽了一个慵妆髻，命他穿了衣服，过这边来。
接着司内厨的婆子来问：『晚饭有了，可送不送？』小丫头听了，进来问袭人。袭人笑道：『方才胡吵了一阵，也没留心听得，几下钟了？』晴雯道：『这劳什子又不知怎么了，又得去收拾！』（既有钟表了，便要看之修之，似乎反添了麻烦。）说着，拿过表来瞧了一瞧，说道：『再略等半钟茶的工夫就是了。』小丫头去了。麝月笑道：『提起淘气来，芳官也该打两下儿，昨日是他摆弄了那坠子半日，就坏了。』说话之间，便将食具打点现成。一时小丫头子捧了盒子进来站住，晴雯麝月揭开看时，还是这四样小菜。晴雯笑道：『已经好了，还不给两样清淡菜吃！这稀饭咸菜闹到多早晚？』一面摆好，一面又看那盒中，却有一碗火腿鲜笋汤，忙端了放在宝玉跟前。宝玉便就桌上喝了一口，说道：『好汤！』众人都笑道：『菩萨，能几日没见荤腥儿，馋得这样起来？』一面说，一面端起来，轻轻用口吹着。因见芳官在侧，便递与芳官，说道：『你也学些伏侍，别一味傻玩傻睡。口儿轻着些，别吹上唾沫星儿。』芳官依言果吹了几口，甚妥。他干娘也端饭在门外伺候，向里忙跑进来，笑道：『他不老成，仔细打了碗，等我吹罢。』（这种『伏侍』的小儿科性质着实可笑。）一面说，一面就接。

晴雯忙喊道：『快出去！你让他砸了碗，也轮不到你吹！你什么空儿跑到里槅儿来了？』（婆子固是不识相，晴雯的说法也实不懂得尊重他人、比自己年纪大的人。婆子的表现与晴雯的话，都令人恶心。）一面又骂小丫头们：『瞎了眼的！他不知道，你们也该说给他！』小丫头们都说：『我们撵他不出去，说他又不信，如今带累我们受气，这是何苦呢！你可信了？我们到的地方儿，有你到的一半儿，那一半儿是你到不去的呢！何况又跑到我们到不去的地方儿还不算，又去伸手动嘴的了。』一面说，一面推他出去。阶下几个等空盒家伙的婆子见他出来，都笑道：『嫂子也没有「用镜子照一照」，就进去了！』羞得那婆子又恨又气，只得忍耐下去了。（宝玉对女孩子们的宠爱，使女孩子们处于一个极遭嫉恨的位置。）芳官吹了几口，宝玉笑道：『你尝尝，好了没有？』芳官当是玩话，只是笑着看袭人等。袭人道：『你就尝一口何妨？』晴雯笑道：『你瞧我尝。』说着便喝一口。芳官见如此，他便尝了一口，说：『好了。』递与宝玉，喝了半碗，吃了几片笋，又吃了半碗粥，就罢了。众人便收出去。小丫头捧沐盆，漱盥毕，袭人等去吃饭。宝玉使个眼色与芳官，芳官本来伶俐，又学了几年戏，何事不知。（学了戏，何事不知？而社会不愿青年人知得太多。）便装肚子疼，不吃饭了。袭人道：『既不吃，在屋里做伴儿。把粥留下，你饿了再吃。』说着去了。

宝玉、姑娘、婆子的关系有趣。姑娘中，几乎没有一个可厌的。包括被逐出的偷东西的坠儿，亦不引起人的反感。婆子则没有一个好的。婆子最恨年轻的女孩子们。宝玉最爱女孩子们。宝玉便与婆子们对立。宝玉之爱女孩子并不占理，上不得台面，婆子们常常摆出『教育』女孩子们的架势。谁的『弗洛伊德』？婆子的？宝玉的？雪芹的？写成了这种格局。

宝玉将方才见藕官，如何谎言护庇，如何藕官叫我问你，细细的告诉一遍，又问：『他祭的果系何人？』芳官听了，眼圈儿一红，又叹一口气，道：『这事说来，藕官儿也是胡闹。』宝玉忙问：『如何？』芳官道：『他祭的就是死了的药官儿。』宝玉道：『他们两个也算朋友，也是应当的。』芳官道：『那里又是什么朋友哩？那都是傻想头，他是小生，药官是小旦，往常时，他们扮作两口儿，每日唱戏的时候，都装着那么亲热，一来二去，两个人就装糊涂了，倒像真的一样儿。后来两个竟是你疼我，我爱你。（像陈凯歌导的《霸王别姬》。一个是同性恋，以同性为异性。一个是幻想，以戏做真，以幻想的假做真。反映了这些女孩子的感情苦闷，性苦闷，故合了宝玉的呆性。在这样一个蝇营狗苟的家庭里，能这样苦闷、幻想、多情，倒也有几分可爱。也是一份纯情。）药官儿一死，他就哭的死去活来的，到如今不忘，所以每节烧纸。后来补了蕊官，我们见他也是那样，就问他：「为什么得了新的就把旧的忘了？」他说：「不是忘了。比如人家男人死了女人，也有再娶的，只是不把死的丢过不提就是有情分了。」你说他是傻不是呢？』

当人被各种利益计算、事务计算所占据，当人与人的关系日益成为互相利用或互相争斗的关系的时候，出现一点匪夷所思的奇想，出现一点原生状态的情性，也算是一种平衡，一种需要。也是文学的一个重要功能。文学可以促进社会的发展演化，也可以弥补社会组织的完善过程所带来的空白与遗憾，抵御『进步』带来的某种寂寞和（内心世界的）荒芜。为之一笑一悲，就够了。不是提倡，不是榜样。你当然不能像藕官般行事，我们都不能那样，所以更需要小说中的藕官故事。

宝玉听了这呆话，独合了他的呆性，不觉又喜又悲，又称奇道绝。拉着芳官嘱咐道：『既如此说，我有一句话嘱咐你，须得你告诉他：以后断不可烧纸，逢时按节，只备一炉香，一心虔诚，就能感应了。我那案上也只设着一个炉，我有心事，不论日期，时常焚香，随便新茶新水，就供一盏，或有鲜花鲜果，甚至荤腥素菜都可。只在敬心，不在虚名。以后快命他不可再烧纸！』（我国至今烧纸风俗仍盛，乌烟瘴气，引起火灾。宝玉此言，应广为宣传推广。）芳官听了，便答应着。一时吃过粥。便有人回：『老太太回来了。』要知端的，且看下回分解。

笔触岔到文艺圈里去了，倒也不恶。人生长恨水长东，各有各的烦恼，曹雪芹体贴众人，很好，只是不知体贴一下婆子们，而女儿的明天，正是婆子啊！

第五十九回 柳叶渚边嗔莺叱燕 绛芸轩里召将飞符

话说宝玉闻听贾母等回来，随多添了一件衣服，拄了杖前边来，都见过了。贾母等因每日辛苦，都要早些歇息，一宿无话。次日五更，又往朝中去。离送灵日不远，鸳鸯、琥珀、翡翠、玻璃四人，都忙着打点贾母之物；玉钏、彩云、彩霞皆打点王夫人之物；当面查点与跟随的管事媳妇们。跟随的一共大小六个丫鬟，十个老婆媳妇子，男人不算。连日收拾驮轿器械。鸳鸯与玉钏儿皆不随去，只看屋子。一面先几日预备帐幔铺陈之物，先有四五个媳妇并几个男子领了出来，坐了几辆车绕道，先至下处，铺陈安插等候。（无事忙，却也辛苦。）临日，贾母带着贾蓉媳妇坐一乘驮轿，王夫人在后，亦坐一乘驮轿，贾珍骑马，率领众家丁围护；又有几辆大车，与婆子丫鬟等坐，并放些随换的衣包等件。是日薛姨妈尤氏率领诸人直送至大门外方回。贾琏恐路上不便，一面打发他父母起身，赶上了贾母王夫人驮轿，自己也随后带领家丁押后跟来。（国不可一日无君，家不可一日无主。于是乱了起来。）

荣府内，赖大添派人丁上夜，将两处厅院都关了，一应出入人等皆走西边小角门，日落时，便命关了仪门，不放人出入；园中前后东西角门亦皆关锁，只留王夫人大房之后常系他姊妹出入之门，东边通薛姨妈的角门；这两门因在里院，不必关锁，里面鸳鸯和玉钏儿也将上房关了，自领丫鬟婆子下房去歇，每日林之孝家的带领十来个老婆子上夜，穿堂内又添了许多小厮打更，已安插得十分妥当。

一日清晓，宝钗春困已醒，搴帷下榻，微觉轻寒，及启户视之，见院中土润苔青，原来五更时落了几点微雨。于是唤起湘云等人来，一面梳洗，湘云因说两腮作痒，恐又犯了杏斑癣，因问宝钗要些蔷薇硝擦。（皮肤的过敏反应。尚未见人著述《红楼临床大全》。）宝钗道：『前日剩的都给了妹子了。』因说：『颦儿配了许多，我正要他些来，因今年竟没发痒，就忘了。』因命莺儿去取些来。莺儿应了才去时，蕊官便说：『我同你去，顺便瞧瞧藕官。』说着一径同莺儿出了蘅芜院。二人你言我语，一面行走，一面说笑，不觉到了柳叶渚。顺着柳堤走来，因见叶才点碧，丝若垂金，莺儿便笑道：『你会拿这柳条子编东西不会？』蕊官笑道：『编什么东西？』莺儿道：『什么编不得？玩的，使的，都可。（女孩儿都那么手巧。）等我摘些下来，带着这叶子编一个花篮，采了各色花儿放在里头，才是好玩呢！』说着，且不去取硝，且伸手采了许多嫩条，命蕊官拿着，他却一行走，一行编花篮。随路见花便采一二枝，编出一个玲珑过梁的篮子。枝上自有本来翠叶满布，将花放上，却也别致有趣。（纯美如诗。天趣。）喜得蕊官笑说：『好姐姐，给了我罢！』莺儿道：『这一个咱们送林姑娘，回来咱们再多采些，编几个大家玩。』说着，来至潇湘馆中。

黛玉也正晨妆，见了这篮子，便笑说：『这个新鲜花篮是谁编的？』莺儿说：『我编了，送与姑娘玩的。』黛玉接了，笑道：『怪道人人赞你的手巧，这玩意儿却也别致。』一面瞧了，一面便叫紫鹃挂在那里。莺儿又问候薛姨妈，方和黛玉要硝。黛玉忙命紫鹃去包了一包，递与莺儿。黛玉又说道：『我好了，今日要出去逛逛；你回去说与姐姐，不用过来问候妈了，也不敢劳他过来，我梳了头，同妈都往你那里去吃饭，大家热闹些。』（这些事，难为《红》写得如此耐心，表现出对日常生活的熟悉与兴趣。按说，有这种熟悉与兴趣的人不会太悲观，何必谈玄究底？这就是生活呀！）

莺儿答应了出来，便到紫鹃房中找蕊官。只见蕊官却与藕官二人正说得高兴，不能相舍，莺儿便笑说：『姑娘也去呢，藕官先同去等着，岂不是好？』紫鹃听见如此说，便也说道：『这话倒很是。他这里淘气的可厌。』一面说，一面便将黛玉的匙箸用了一块洋巾包了，交与藕官道：『你先带了这个去，也算一趟差了。』藕官接了，笑嘻嘻同他二人出来，一径顺着柳堤走来。莺儿便又采些柳条，索性坐在山石上编起来，又命蕊官先送了硝去再来。他二人只顾爱看他编，那里舍得去？莺儿只管催，说：『你们再不去，我就不编了。』藕官便说：『同你去了，再快回来。』二人方去了。

这里莺儿正编，只见何妈的女儿春燕走来，笑问：『姐姐编什么呢？』正说着，蕊官藕官也到了，春燕便向藕官道：『前日你到底烧了什么纸？被我姨妈看见了，要告你没告成，倒被宝玉赖了他好些不是，气得他一五一十告诉我妈。你们在外头二三年了，积了些什么仇恨，如今还不解开？』藕官冷笑道：『有什么仇恨？他们不知足，反怨我们了。在外头这两年，不知赚了我们多少东西。你说说，可有的没的？』

春燕笑道：『他是我的姨妈，也不好向着外人反说他的。怨不得宝玉说：「女孩儿未出嫁是颗无价宝珠，出了嫁不知怎么就变出许多不好的毛病儿来；再老了，更不是珠子，竟是鱼眼睛了！分明一个人，怎么变出三样来。」（宝玉高论。入世未深的女孩子，当然可爱。）这话虽是混账话，想起来真不错。别人不知道，只说我妈和姨妈，他老姐儿两个，如今越老了，越把钱看得真了。（越老越如何，表面上看是厌弃老，其实是对社会、世道的牢骚。入世深了，不那么天真了，是否就成了『鱼眼睛』了呢？）先是老姐儿两个在家抱怨没个差使进益，幸亏有了这园子，把我挑进来，可巧把我分到怡红院。家里省了我一个人的费用不算外，每月还有四五百钱的余剩，这也还说不够。后来老姐儿两个都派到梨香院去照看他们，藕官认了我姨妈，芳官认了我妈，这几年着实宽绰了。如今挪进来，也算撂开手了，还只无厌。你说好笑不好笑？接着我妈和芳官又吵了一场，又要给宝玉吹汤，讨个没趣儿。（从春燕口里再说一遍，有点结构现实主义的意思。）幸亏园里的人多，没人记得清楚谁是谁的亲故；要有人记得，我们一家子叫人家看着什么意思呢！你这会子又跑了来弄这个。这一带地方上的东西，都是我姑妈管着，他一得了这地，每日起早睡晚，自己辛苦了还不算，每日逼着我们来照看，生怕有人遭塌，（承包唤起了责任感。）我又怕误了我的差使；如今我们进来了，老姑嫂两个照看得谨谨慎慎，一根草也不许人乱动，你还掐这些好花儿，又折他的

嫩树枝子，他们即刻就来，仔细他们抱怨。』莺儿道：『别人折掐使不得，独我使得。自从分了地基之后，各房里每日皆有分例的，不用算；单算花草玩意儿，谁管什么，每日谁就把各房里姑娘丫头戴的，必要各色送些折枝去，另有插瓶的。惟有我们姑娘说了：「一概不用送，等要什么再和你要。」究竟总没要过一次。（宝钗独有操持。）我今便掐些，他们也不好意思说的。』

一言未了，他姑妈果然拄了拐杖走来，莺儿春燕等忙让坐。那婆子见采了许多嫩柳，又见藕官等采了许多鲜花，心里便不受用；看着莺儿编弄，又不好说什么，便说春燕道：『我叫你来照看照看，你就贪着玩不去了，倘或叫起你来，你又说我使你了。拿我作隐身草儿，你来乐！』春燕道：『你老人家又使我，又怕，这会子反说我，难道把我劈八瓣子不成？』莺儿笑道：『姑妈，你别信小燕儿的话，这都是他摘下来，烦我给他编，我撵他，他不去。』春燕笑道：『你可少玩儿！你只顾玩，他老人家就认真的。』

那婆子本是愚夯之辈，兼之年迈昏眊，惟利是命，一概情面不管；正心疼肝断，无计可施，听莺儿如此说，便倚老卖老，拿起拄杖向春燕身上击了几下，骂道：『小蹄子，我说着你，你还和我强嘴儿呢！你妈恨的牙痒痒，要撕你的肉吃呢，你还和我梆子是的！』（这个玩笑触到了痛处。诗意都是脆弱的。极易被鄙俗所吞噬。）打得春燕又愧又急，因哭道：『莺儿姐姐玩话，你就认真打我！我妈为什么恨我？又没烧糊了洗脸水，有什么不是？』莺儿本是玩话，忽见婆子认真动了气，忙上前拉住，笑道：『我才是玩话，你老人家打他，这不是臊我了吗？』那婆子道：『姑娘，你别管我们的事，难道为姑娘这里不许我们管孩子不成？』莺儿听这般蠢话，便赌气红

了脸，撒了手，冷笑道：『你要管，那一刻管不得？偏我说了一句玩话，就管他了？我看你管去！』说着便坐下，仍编柳篮子。

偏又春燕的娘出来找他，喊道：『你不来舀水，在那里做什么？』这婆子便接声儿道：『你来瞧瞧！你女孩儿连我也不服了，在这里排揎我呢！』那婆子一面走过来，说：『姑奶奶又怎么了？我们丫头眼里没娘罢了，连姑妈也没了不成？』莺儿见他娘来了，只得又说原故。他姑妈那里容人说话，便将石上的花柳与他娘瞧，道：『你瞧瞧，你女孩儿这么大孩子顽的！他领着人遭塌我，我怎么说人？』他娘也正为芳官之气未平，又恨春燕不遂他的心，便走上来打了个耳刮子，骂道：『小娼妇，你能上了几年台盘，你也跟着那起轻薄浪小妇学！怎么就管不得你们了？干的我管不得你，是我自己生出来的，难道也不敢管你不成？既是你们这起蹄子到得去的地方我到不去，你就死在那里伺候，又跑出来浪汉子！』（特殊的『代沟』现象。）一面又抓起柳条子来，直送到他脸上，问道：『这叫做什么？这编的是你娘的什么？』莺儿忙道：『那是我编的，你别「指桑骂槐」的！』（除了老婆子与女孩子之争妒以外，这里还有一个利益承包与人情的矛盾。从人情上说，莺、燕掐枝条编篮，说说笑笑，本极可爱，婆子们一管，就觉可厌。但如一味讲这些，就搞不成园子的承包与管理了。）

那婆子深妒袭人晴雯一干人，早知道凡房中大些的丫鬟，都比他们有些体统权势，凡见了这一干人，心中又畏又让，未免又气又恨，亦且迁怒于众；复又看见了藕官，又是他姐姐的冤家：四处凑成一股怨气。那春燕啼哭着往怡红院去了。他娘又恐问他为何哭，怕他又说出来，又要受晴雯等的气，不免赶着来喊道：『你回来！我告诉你再去。』春燕那里肯回来，急的他娘跑了去要拉他。春燕回头看见，便也往前飞跑。他娘只顾赶他，不防脚下被青苔滑倒。引得莺儿三个人都反笑了。（在曹氏笔下，婆子们丑态百出。世界如果只由『女儿』们组成，该有多好。看来，除了社会乌托邦主义，还有青春乌托邦主义，少女乌托邦主义，或者也可以命名为『贾宝玉乌托邦』。）莺儿赌气将花柳皆掷于河中，自回房去。这里把个婆子心疼的只念佛，又骂：『促狭小蹄子！遭塌了花儿，雷也是要劈的！』自己且掐花与各房送去。

却说春燕一直跑入院中，顶头遇见袭人往黛玉处问安去，春燕便一把抱住袭人说：『姑娘救我，我妈又打我呢！』袭人见他娘来了，不免生气，便说道：『三日两头儿，打了干的打亲的，还是卖弄你女孩儿多？还是认真不知王法？』这婆子来了几日，见袭人不言不语，是好性儿的，便说道：『姑娘，你不知道，别管我们的闲事，都是你们纵的，还管什么？』说着，便又赶着打。袭人气的转身进来，见麝月正在海棠下晾手巾，听如此喊闹，便说：『姐姐别管，看他怎么！』一面使眼色与春燕。春燕便会意，直奔了宝玉去。众人都笑道：『这可是从来没有的事今儿都闹出来了。』麝月向婆子道：『你再略煞一煞气儿，难道这些人的脸面，和你讨一个情还讨不出来不成？』

那婆子见他女儿奔到宝玉身边去，又见宝玉拉了春燕的手，说：『你别怕，有我呢，』春燕一行哭，一行将方才莺儿等事都说出来。宝玉越发急起来，说：『你只在这里闹也罢了，怎么连亲戚也都得罪起来！』麝月又向婆子及众人道：『怨不得这嫂子说我们管不着他们的事，我们虽无知，错管了。如今请出一个管得着的人来管一管，嫂子就心服口服，也知道规矩了。』便回头命小丫头子：『去把平儿给我叫来，平儿不得闲，就把林大娘叫了来。』那小丫头子应了便走。众媳妇上来笑说：『嫂子快求姑娘们叫回那孩子来罢。平姑娘来了，可就不好了！』（都有默契。）那婆子说道：『凭是那个姑娘来了，也要评个理。没有见个娘管女孩儿，大家管着娘的！』众人笑道：『你当是那个平姑娘？是二奶奶屋里的平姑娘！他有情么，说你两句；他一翻脸，嫂子，你『吃不了兜着走』！』

说着，只见那个小丫头回来说：『平姑娘正有事呢，问我做什么，我告诉了他。他说，既这样，且撵出他去，告诉林大娘，在角门打四十板子就是了。』那婆子听见如此说了，吓得泪流满面，央告袭人等说：『好容易我进来了！况且我是寡妇家，没有坏心，一心在里头伏侍姑娘们。我这一去，不知苦到什么地步！』（四十板还未打，弯子就转过来了。所谓愚夯之人，只听得进板子的语言。）袭人见他如此说，又心软了，便说：『你既要在这里，又不守规矩，又不听话，又乱打人，那里弄你这个不晓事的人来！天天斗口齿，也叫人笑话。』晴雯道：『理他呢！打发他去了正经。那里那么大工夫和他对嘴对舌的。』那婆子又央众人道：『我虽错了，姑娘们吩咐了，以后改过。姑娘们那不是行好积德。』一面又央告春燕：『原是为打你起的，饶没打成你，我如今反受了罪。好孩子，你好歹替我求求罢！』（按照宝玉的逻辑，二十年后，这些女孩子便也这样愚夯可恶了。何前倨而后恭焉？在人屋檐下，焉得不低头！）宝玉见如此可怜，便命留下：『不许再闹！再闹，一定打了撵出去。』（反过来说，如此这般，从宝玉到袭人，也欠了点账。）那婆子一一谢过下去。

曹公显然是站在宝玉的这边，大体上以宝玉的眼光来写这些『代沟』冲突事件的。如果站在婆子们这边呢？几个屁事不懂的小女孩，狗仗人势，轻薄浮浪，暴殄天物，不敬亲娘，也许更该挨板子吧？『上边』因有事或其他原因略一宽松，底下就『作起反』来了。竟是四面着火，八方冒烟架势。

只见平儿走来，问系何事，袭人等忙说：『已完了，不必再提。』平儿笑道：『「得饶人处且饶人」，得将就的就省些事罢。但只听得各屋大小人等都作起反来了，一处不了又一处，叫我不知管那一处是。』袭人笑道：『我只说我们这里反了，原来还有几处。』平儿笑道：『这算什么事！这三四日的工夫，一共大小出了八九件呢，比这里的还大。可气，可笑！』不知平儿说出何事，且听下回分解。

管理——压迫稍一放松，各屋大小人等都作起反来，一处不了又一处。这是管理上的最大悖论，压迫多了自然不公正，引起反抗造反；管理松了，『自由』『民主』多一些了，又是这种态势。平儿的话有用，仍是倚仗了『四十大板』的威慑，这样的话，岂有宁日？

第六十回　茉莉粉替去蔷薇硝　玫瑰露引出茯苓霜

矛盾此起彼伏，故事丝丝入扣，情理鞭辟透里，读之大长见识。决不简单化。不是黑白两种脸谱，不是正反两种判断。这一两回读罢，令图解生活者愧死！

话说袭人因问平儿：『何事这等忙乱？』平儿笑道：『都是世人想不到的，说来也好笑。等过几日告诉你，如今没头绪呢，且也不得闲儿。』一语未了，只见李纨的丫鬟来了，说：『平姐姐可在这里！奶奶等你，你怎么不去了？』平儿忙转身出来，口内笑说：『来了，来了！』袭人等笑道：『他奶奶病了，他又成了「香饽饽」了，都抢不到手。』平儿去了不提。

这里宝玉便叫春燕：『你跟了你妈去，到宝姑娘房里，给莺儿句好话儿听听，也不可白得罪了他。』春燕答应了，和他妈出去。宝玉又隔窗说道：『不可当着宝姑娘说，仔细反叫莺儿受教导。』（宝玉这十七个字补住了漏洞。此书此处天衣无缝矣。）娘儿两个应了出来，一边走着，一面说闲话儿。春燕因向他娘道：『我素日劝你老人家，再不信。何苦闹出没趣来才罢！』他娘笑道：『小蹄子，你走罢！俗语说：「不经一事，不长一智。」我如今知道了，你又该来支问着我了！』春燕笑道：『妈，你若好生安分守己，在这屋里长久了，自有许多好处。我且告诉你句话。宝玉常说：这屋里的人，无论家里外头的，一应我们这些人，他都要回太太全放出去，与本人父母自便呢。（宝玉要搞『解放农奴』么？）你只说这一件，可好不好？』他娘听说，喜的忙问：『这话果真？』春燕道：『谁可撒谎做什么？』婆子听了，便念佛不绝。

当下来至蘅芜院中，正值宝钗、黛玉、薛姨妈等吃饭。莺儿自去泡茶。春燕便和他妈一径到莺儿前，陪笑说：『方才言语冒撞，姑娘莫嗔莫怪！特来陪罪。』莺儿也笑了，让他坐，又倒茶；他娘儿两个说有事，便作辞回来。忽见蕊官赶出，叫：『妈妈，姐姐，略站一站。』一面走上，递了一个纸包儿与他们，说是蔷薇硝，与芳官去擦脸。（一场风波，起于青之末，起于蕊官之一点好心。）春燕笑道：『你们也太小气了，还怕那里没这个给他？巴巴儿的又弄一包给他去。』蕊官道：『他是他的，我送的是我送的，姐姐千万带回去罢！』春燕只得接了。娘儿两个回来，正值贾环贾琮二人来问候宝玉，也才进去。春燕便向他娘说：『只我进去罢，你老人家不用去。』他娘听了。自此百依百随的，不敢倔强了。

春燕进来，宝玉知道回复了，便先点头。春燕知意，便不再说一语，略站了一站，便转身出来，使眼色与芳官。芳官出来，春燕方悄悄的说与他蕊官之事，并与了他硝。宝玉并无与琮环可谈之语，因笑问芳官：『手里是什么？』（宝玉问个什么劲儿？）芳官便忙递与宝玉瞧，又说：『是擦春癣的蔷薇硝。』宝玉笑道：『难为他想得到。』（阴差阳错。）贾环听了，便伸着头瞧了一瞧，又闻得一股清香，便弯腰向靴筒内掏出一张纸来，托着笑道：『好哥哥，给我一半儿！』（手足之情，环儿要之有理。）宝玉只得要给他。芳官心中因是蕊官之赠，不肯给别人，连忙拦住，笑说道：『别动这个，我另拿些来。』（芳官这样想，并非无理。）宝玉会意，忙笑道：『且包上拿去。』

芳官接了这个，自去收好，便从奁中去寻自己常使的。启奁看时，盒内已空，心中疑惑：『早上还剩了些，如何就没了？』因问人时，都说不知。麝月便说：『这会子且忙着问这个！不过是这屋里人一时短了使了，你不管拿些什么给他们，那里看得出来？快打发他们去了，咱们好吃饭。』（麝月有轻视贾环意。）芳官听说，便将些茉莉粉包了一包拿来。贾环见了，喜的就伸手来接，芳官便忙向炕上一掷。贾环见了，也只得向炕上拾了，揣在怀内，方作辞而去。（一副小兔羔子的可怜相儿。）

人必自重而后人重之。赵姨娘、贾环行事，颇有教训意味。但事已至此，亦难分是非。麝月、芳官对待贾环，确也不太对头。

雪芹反正是一写到这母子，必让他们出洋相的。何至于斯！

原来贾政不在家，（为宫里的丧事奔走，并非贾府灾难，但已乱象丛生，贾府的管理危机，随时暴露。）且王夫人等又不在家，贾环连日也便装病逃学。（奴才打骂哭闹，主子装病逃学，贾府后事堪忧。）如今得了硝，兴兴头头来找彩云，正值彩云和赵姨娘闲谈，贾环笑嘻嘻向彩云道：『我也得了一包好的，送你擦脸。你常说蔷薇硝擦癣比外头买的银硝强，你看看，是这个不是？』彩云打开一看，『嗤』的一笑，说道：『你是和谁要来的？』贾环便将方才之事说了一遍。彩云笑道：『这是他们哄你这乡老儿呢！这不是硝，这是茉莉粉。』（彩云比贾环明眼。）贾环看了一看，果见比先的带些红色，闻闻也是喷香，因笑道：『这是好的，硝粉一样，留着擦罢，横竖比外头买的高便好。』彩云只得收了。赵姨娘便说：『有好的给你？谁叫你要去了？怎么怨他们要你！依我，拿了去照脸摔给他去。趁着这会子，撞尸的撞尸去了，挺床的挺床，吵一出子，大家别心净，也算是报报仇。莫不成两个月之后，还找出这个茬儿来问你不成？就问你，你也有话说。宝玉是哥哥，不敢冲撞他罢了，难道他屋里的猫儿狗儿也不敢去问问？』（赵姨娘腔口极佳，张口就是争、闹、赖、怨。然而又不能说她的怨然毫无道理。这也是恶性循环：自轻自贱则人侮之，侮而后怨之争之，怨争失态，皆得轻之贱之。水平如是，又难怨别人轻之贱之了。）贾环听了，便低了头。彩云忙说：『这又是何苦来！不管怎么，忍耐些罢了。』赵姨娘道：『你也别管，横竖与你无干。趁着抓住了理，骂那些浪娼妇们一顿，也是好的。』又指贾环道：『呸！你这下流没刚性的，也只好受这些毛丫头的气！平白我说你一句儿，或无心中错拿了一件东西给你，你倒会扭头暴筋、瞪着眼，撴摔娘，这会子被那起毛崽子耍弄，倒就罢了。你明日还想这些家里人怕你呢！你没有什么本事，我也替你恨！』（癞狗一般，咬人咬群又互咬乱咬。）

贾环听了，不免又愧又急，又不敢去，只摔手说道：『你这么会说，你又不敢去，（揭老底。）支使了我去闹，他们倘或往学里告去，我捱了打，你敢自不疼的！遭遭儿调唆我去，闹出事来，我捱了打骂，你一般也低了头。这会子又调唆我和毛丫头们去闹！你不怕三姐姐，你敢去，我就服你！』（戳痛处。无师自通。）一句话戳了他娘的肺，便嚷道：『我肠子里爬出来的，我再怕了，这屋里越发有得活了！』（莫非真是从肠子里带出来的？）一面说，一面拿了那包子，便飞也似的往园中去了。彩云死劝不住，只得躲入别房。贾环便也躲出仪门，自去玩耍。

赵姨娘直进园子，正是一头火，顶头遇见藕官的干娘夏婆子走来，瞧见赵姨娘气得眼红面青的走来，因问：『姨奶奶，那里去？』赵姨娘拍着手道：『你瞧瞧！这屋里连三日两日进来唱戏的小粉头们都三般两样，掂人的分量，放小菜儿了。要是别一个我还不恼，若叫这些小娼妇捉弄了，还成了什么了！』夏婆子听了，正中己怀，忙问：『因什么事？』赵姨娘遂将以粉作硝、轻侮贾环之事说了一回。夏婆子道：『我的奶奶，你今日才知道？这算什么事！连昨日这个地方，他们私自烧纸钱，宝玉还拦在头里。人家还没拿进个什么儿来，就说使不得，不干不净的东西忌讳，这烧纸倒不忌讳？你想一想：这屋里除了太太，谁还大似你？你自己掌不起！但凡掌的起来，谁还不怕你老人家？（问题恰恰在于：硬是撑不起来。越是硬撑，越是撑不起来。）如今我想：趁这几个小粉头儿都不是正经货，就得罪他们，也有限的。快把这两件事抓着理，扎个筏子，我帮着你作证见。你老人家把威风也抖一抖，以后也好争别的。就是奶奶姑娘们，也不好为那起小粉头子说你老人家的不是。』（火上加油，借机报私仇，挑唆赵火中取栗。夏婆子亦精通利用矛盾，借刀杀人，亦有一番阴谋政客的本事。）赵姨娘听了这话，越发有理，便说：『烧纸的事我不知道，你细细告诉我。』夏婆子便将前事一一的说了。又说：『你只管说去，倘或闹起来，还有我们帮着你呢。』赵姨娘听了，越发得了意，仗着胆子，便一径到了怡红院中。（赵、夏，都是不得烟儿抽的。在野派的统一战线，往往比主流派还壮大。）

赵姨娘的位置不能算太低，至少不比平儿、袭人低，更比芳官等『小粉头』高。她的难处在于她的素质太低，即使在等级森严位置几乎可以决定一切的封建家庭中，仅有位置没有素质也是不行的。且莫以为有了位置便可以发号施令。其次是，她没有走靠拢主流派的路线，而是走了靠拢在野派的路子。从凤姐那里就烦她，众人便都轻贱她。其实，赵姨娘单枪匹马地斗，实有点造反精神。

可巧宝玉往黛玉那里去了，芳官正与袭人等吃饭，见赵姨娘来了，忙都起身让：『姨奶奶吃饭。什么事情这等忙？』赵姨娘也不答话，走上来，便将粉照芳官脸上摔来，手指着芳官骂道：『小娼妇养的！你是我们家银子钱买了来学戏的，不过娼妇粉头之流，我家里下三等奴才也比你高贵些！（优娼同流，低人四等，比三等奴才还低贱。）你都会「看人下菜碟儿」！宝玉要给东西，你拦在头里，莫不是要了你的了？拿这个哄他，你只当他不认得呢！好不好，他们是手足，都是一样的主子，那里有你小看他的？』（这几句话都不算冤枉。）

芳官那里禁得住这话，一行哭，一行便说：『没了硝，我才把这个给他的；要说没了，又怕不信。难道这不是好的？我便学戏，也没往外头唱去。我一个女孩儿家，知道什么「粉头」「面头」的！姨奶奶犯不着来骂我，

我又不是姨奶奶家买的。「梅香拜把子——都是奴才」罢咧！这是何苦来呢！』（芳官也照准穴位用针。）袭人忙拉他说：『休胡说！』赵姨娘气的发怔，便上来打了两个耳刮子，（赵的憋气亦非打一处来，不过发作在芳官这里了。）袭人等忙上来拉劝，说：『姨奶奶不要和他小孩子一般见识，等我们说他。』芳官挨了两下打，那里肯依？便打滚撒泼的哭闹起来，口内便说：『你打的着我么？你照照你那模样儿再动手！我叫你打了去，也不用活着了！』撞在他怀中叫他打。众人一面劝，一面拉。晴雯悄拉袭人说：『不用管他们，让他们闹去，看怎么开交。如今乱为王了，什么你也来打，我也来打，都这样起来，还了得呢！』（晴雯此话里固有对赵姨娘的不满，对芳官也并无好感。）外面跟赵姨娘来的一干人听见如此，心中各各趁愿，都念佛说：『也有今日！』又有那一干怀怨的老婆子，见打了芳官，也都趁愿。（各有各的喝彩观众。反对派也有人马。）

当下藕官蕊官等正在一处玩，湘云的大花面葵官，宝琴的豆官，两个听见此信，忙找着他两个说：『芳官被人欺负，咱们也没趣儿，须得大家破着大闹一场，方争的过气来。』（铁姐们儿，磁姐们儿。不失孩子气。）四人终是小孩子心性，只顾他们情分上义愤，便不顾别的，一齐跑入怡红院中。豆官先就照着赵姨娘撞了一头，几乎不曾将赵姨娘撞了一跤。那三个也便拥上来，放声大哭，手撕头撞，把个赵姨娘裹住。（你有你的打法，我有我的打法。）晴雯等一面笑，一面假意去拉。急的袭人拉起这个，又跑了那个，口内只说：『你们要死啊！有委屈只管好说，这样没道理，还了得了！』赵姨娘反没了主意，只好乱骂。蕊官藕官两个一边一个，抱住左右手；葵官豆官前后头顶住，只说：『你打死我们四个就罢！』芳官直挺挺躺在地下，哭得死过去。（大观园里『东风吹，战鼓擂，谁也不怕谁』！）

到现在为止，除请马道婆做妖法这一不经之事外，赵姨娘愚夯粗鄙则愚夯粗鄙矣，论起狠毒阴险，则不及凤姐之什一。但赵姨娘的形象特别丑陋不堪。皆因她缺少自信自尊，自己降低了自己。而凤姐心计、容貌、口才、经验、意志，特别是地位，都压人一头。上者为尊。这种阅读效果自然与作者的倾向性有关。

正没开交，谁知晴雯早遣春燕回了探春，当下尤氏、李纨、探春三人带着平儿与众媳妇走将来，忙把四个喝住。问起原故来，赵姨娘气得瞪着眼，粗了筋，一五一十，说个不清。尤李两个不答言，只喝禁他四人。探春便叹气说道：『这是什么大事！姨娘太肯动气了。我正有一句话，要请姨娘商议，怪道丫头们说不知在那里，原来在这里生气呢！姨娘快同我来。』尤氏李纨都笑说：『请姨娘到厅上来，咱们商量。』

赵姨娘无法，只得同他三人出来，口内犹说长说短。探春便说：『那些小丫头子们原是玩意儿，喜欢呢，和他玩玩笑笑；不喜欢，可以不理他就是了。他不好了，如同猫儿狗儿抓咬了一下子，可恕就恕；不恕时，也只该叫管家媳妇们，说给他去责罚。何苦自不尊重，大吆小喝，也失了体统。（贬低对手正是为了贬低当事人。）你瞧周姨娘，怎么没人欺他，他也不寻人去？我劝姨娘且回房去煞煞性儿，别听那起混账人调唆，惹人笑话自己呆，白给人家做活。心里有二十分的气，也忍耐这几天，等太太回来，自然料理。』（探春之言，虽称金玉良言，但骨子里的冷酷，尤甚于傻闹浑搅。）一席话说得赵姨娘闭口无言，只得回房去了。

赵姨娘气的是她与贾环特别是贾环得不到应有的尊重。按主子身份来说，贾环有权要求尊重。赵气得有理。问题是尊重不是可以闹来的，越是计较，越是乱闹，越得不到尊重。行事不能服人，建立不起威信来，大喊大叫大吵又有何益？徒增笑柄而已。

这里探春气得和李纨尤氏说：『这么大年纪，行出来的事总不叫人敬服！这是什么意思，也值的吵一吵，并不留体统！耳朵又软，心里又没有算计，这又是那起没脸面的奴才们调唆的，作弄出个呆人，替他们出气！』（此话替她娘留了地步。如此说来，也只是个没心没肺、上当受骗的傻子罢了。）越想越气，因命人：『查是谁调唆的！』媳妇们只得答应着出来，相视而笑，都说是：『大海里那里捞针去？』只得将赵姨娘的人并园中人唤来盘诘，都说：『不知道。』众人也无法，只得回探春：『一时难查，慢慢的访。凡有口舌不妥的，一总来回了责罚。』（暂时无人举报夏婆子。这样其实于探春也有利。这种事只能淡化。若果真揪出夏婆子来，处理一通，于事何补？反而加深了挑起了探春与众婆子及赵姨娘的矛盾。）

探春气渐渐平服，方罢。可巧艾官便悄悄的回探春说：『都是夏妈素日和这芳官不对，每每的造出些事来。前日赖藕官烧纸，幸亏是宝二爷自己应了，他才没话。今日我与姑娘送手巾去，看见他和姨奶奶在一处说了半天，嘁嘁喳喳的，见了我来，才走开了。』探春听了，虽知情弊，亦料定他们皆一党，本皆淘气异常，便只答应，也不肯据此为证。（艾官来举，探春气已渐平，看问题已较客观了。不了了之，难得糊涂。还能怎么样呢？）

谁知夏婆的外孙女儿小蝉儿，便是探春处当差的，时常与房中丫鬟们买东西，众女孩儿都待他好。这日饭后，探春正上厅理事，翠墨在家看屋子，因命小蝉出去叫小么儿买糕去。小蝉便笑说：『我才扫了个大院子，腰腿生疼的，你叫别的人去罢。』翠墨笑说：『我又叫谁去？你趁早儿去，我告诉你一句好话：你到后门顺路告诉你老娘，防着些儿。』说着，便将艾官告他老娘的话告诉了他。小蝉听说，忙接了钱，道：『这个小蹄子也要捉弄人，等我告诉去。』（到处有耳目，有长舌。长舌是一种『业余爱好』『为艺术而艺术』，未必都有敌友关系。所以是非越发多上加多。）说着，便起身出来。至后门边，只见厨房内此刻手闲之时，都坐在台阶上说闲话呢，夏婆亦在其内。小蝉便命一个婆子出去买糕，他且一行骂，一行说，将方才的话告诉了夏婆子。夏婆子听了，又气又怕，便欲去找艾官问他，又要往探春前去诉冤。小蝉忙拦住说：『你老人家去怎么说呢？这话怎么知道的？可又叨蹬不好了，说给你老人家防着就是了，那里忙在一时儿？』（事体虽小，危机四伏。）

正说着，忽见芳官走来，扒着院门，笑向厨房中柳家媳妇说道：『柳婶子，宝二爷说了：晚饭的素菜，要一样凉凉的酸酸的东西，只不要搁上香油弄腻了。』（能替主子传话，芳官的行市够俏的了。）柳家的笑道：『知道。今儿怎么又打发你来告诉这么句要紧的话呢？你不嫌腌臜，进来逛逛。』芳官才进来，忽有一个婆子，手里托了一碟子糕来。芳官戏说：『谁买的热糕？我先尝一块儿。』小蝉一手接了，道：『这是人家买的，你们还希罕这个！』柳家的见了，忙笑道：『芳姑娘，你爱吃这个，我这里有才买下给你姐姐吃的，他没有吃，还收在那里，干干净净没动的。』说着，便拿了一碟子出来，递与芳官，又说：『你等我替你炖口好茶来。』一面进去现通开火炖茶。芳官便拿着那糕，举到小蝉脸上，说：『谁希罕吃你那糕！这个不是糕不成？我不过说着玩罢了，你给我磕头，我还不吃呢！』说着，便把手内的糕掰了一块，掷着逗雀儿玩，口内笑说道：『柳婶子，你别心疼，我回来买二斤给你。』（芳官无德。地位、人缘、对待，自是三六九等，因是愤愤不平，火山随时准备爆发。芳官恃宠傲物，必致其祸。）小蝉气的怔怔的瞅着说道：『雷公老爷也有眼睛，怎么不打这作孽的人！』众人都说道：『姑娘们罢哟！天天见了就咕唧。』

有几个伶透的，见他们拌起嘴来了，又怕生事，都拿起脚来各自走开。当下小蝉也不敢十分说话，一面咕哝着去了。

这里柳家的见人散了，忙出来和芳官说：『前日那话说了没有？』芳官道：『说了。等一两天，再提这事。偏那赵不死的又和我闹了一场。前日那玫瑰露，姐姐吃了没有？他到底可好些？』柳家的道：『可不都吃了！他爱得什么似的，又不好合你再要。』芳官道：『不值什么，等我再要些来给他就是了。』（芳官到宝玉处时间不长，已有了相当地位了。）

原来柳家的有个女孩儿，年才十六岁，虽是厨役之女，却生得人物与平、袭、鸳、紫相类。因他排行第五，便叫他五儿。因素有弱疾，故没得差使。近因柳家的见宝玉房中丫鬟，差轻人多，且又闻宝玉将来都要放他们，故如今要送到那里去应名。正无路头，可巧这柳家的是梨香院的差使，他最小意殷勤，伏侍得芳官一干人，比别的干娘还好，芳官等待他也极好。如今便和芳官说了，央芳官去和宝玉说。（说明柳家的投靠宝玉及其亲信丫头一边。她走的是攀附主流派的路线。）宝玉虽是依允，只是近日病着，又有事，尚未得说。

前言少述，且说当下芳官回至怡红院中，回复了宝玉。这里宝玉正为赵姨娘吵闹，心中不悦，说又不是，不说又不是，只等吵完了，打听着探春劝了他去后，方又劝了芳官一阵，因使他到厨房说话去。今见他回来，又说还要些玫瑰露与柳五儿吃去，宝玉忙道：『有着呢，我又不大吃，你都给他吃去罢。』（宝玉做人情，芳官做人情并显示自己在宝玉处的地位。一个人做一件事的时候，难以预料后果。）说着，命袭人取出来。见瓶中也不多，遂连瓶与了芳官。

芳官便自携了瓶与他去。正值柳家的带进他女儿来散闷，在那边畸角子一带地方逛了一回，便回到厨房内，正吃茶歇脚儿。见芳官拿了一个五寸来高的小玻璃瓶来，迎亮照着，里面有半瓶胭脂一般的汁子，还当是宝玉吃的西洋葡萄酒。（宝玉已用过干红、干白？）母女两个忙说：『快拿旋子烫滚了水，你且坐下。』芳官笑道：『就剩了这些，连瓶子给你罢。』五儿听说，方知是玫瑰露，忙接了，又谢芳官。因说道：『今日好些，进来逛逛。这后边一带，也没有什么意思，不过是些大石头大树和房子后墙，正经好景致也没看见。』芳官道：『你为什么不往前去？』柳家的道：『我没叫他往前去：姑娘们也不认得他，倘有不对眼的人看见了，又是一番口舌。明日托你携带他，有了房头儿，怕没人带着逛呢！只怕逛腻了的日子还有呢！』芳官听了，笑道：『怕什么？有我呢！』（已经这样膨胀了么？）柳家的忙道：『嗳哟哟！我的姑娘！我们的头皮儿薄，比不得你们。』说着，又倒了茶来。芳官那里吃这茶？只漱了一口便走了。柳家的说：『我这里占着手呢，五丫头送送。』

五儿便送出来，因见无人，又拉着芳官说道：『我的话到底说了没有？』（走后门走到芳官头上，说明芳官已经可以的了。）芳官笑道：『难道哄你不成？我听见屋里正经还少两个人的窝儿，并没补上：一个是小红的，琏二奶奶要了去，还没给人来；一个是坠儿的，也没补。如今要你一个也不算过分。皆因平儿每每和袭人说：「凡有动人动钱的事，得挨的且挨一日。（暂时冻结。）如今三姑娘正要拿人作筏子呢。」连他屋里的事都驳了两三件，如今正要寻我们屋里的事没寻着，何苦来往网里碰去？倘或说些话驳了，那时候老了，倒难再回转。且等冷一冷儿，老太太、太太心闲了，凭是天大的事，先和老的儿一说，没有不成的！』（芳官已经掌握权力运作的核心信息了。）五儿道：『虽如此说，我却性儿急，等不得了。趁如今挑上了：头宗，给我妈争口气，也不枉养我一场；二宗，我添了月钱，家里又从容些；三宗，我开开心，只怕这病就好了。便是请大夫吃药，也省了家里的钱。』（也是前程，而且是这种女孩子的最佳前程。）芳官说：『你的话我都知道了，你只管放心。』说毕，芳官自去了。

单表五儿回来，与他娘深谢芳官之情。他娘因说：『再不承望得了这些东西，虽然是个尊贵物儿，却是吃多了也动热，竟把这个倒些送个人去，也是大情。』（无事生非。）五儿问：『送谁？』他娘道：『送你姑舅兄弟一点儿，他那热病，也想这些东西吃。我倒半盏给他去。』（柳家的有卖弄之意，不懂得见好就收，几招大祸。）五儿听了，半日没言语，随他妈倒了半盏去，将剩的连瓶便放在家伙厨内。五儿冷笑道：『依我说，竟不给他也罢了。倘或有人盘问起来，倒又是一场是非。』他娘道：『那里怕起这些来，还了得！我们辛辛苦苦的，里头赚些东西，也是应当的。难道是作贼偷的不成？』（妇人之见，竟不如女儿之见。）说着，不听，一径去了，直至外边他哥哥家中。他侄儿正躺着。一见这个，他哥哥、嫂子、侄儿，无不欢喜。现从井上取了凉水，吃了一碗，心中爽快，头目清凉。（穷人吃到了平日吃不着的东西，便觉是仙丹妙药。）剩的半盏，用纸盖着，放在桌上。

可巧又有家中几个小厮，同他侄儿素日相好的伴儿，走来看他的病，内中有一个叫做钱槐，是赵姨娘之内亲。他父母现在库上管账，他本身又派跟贾环上学。因他手头宽裕，尚未娶亲，素日看上柳家的五儿标致，一心和父母说了，娶他为妻。也曾央中保媒人，再四求告。柳家父母却也情愿，争奈五儿执意不从，虽未明言，却已中止，他父母未敢应允。近日又想往园内去，（留下了伏笔。五儿也有大志，也看中了宝玉？）越发将此事丢开，只等三五年后放出时，自向外边择婿了。钱槐家中人见如此，也就罢了。争奈钱槐不得五儿，心中又气又愧，发恨定要弄取成配，方了此愿。今日也同人来看望柳氏的侄儿，不期柳家的在内。

柳家的见一群人来了，内中有钱槐，便推说不得闲，起身走了。他哥哥嫂子忙说：『姑妈怎么不喝茶就走？倒难为姑妈记挂着。』柳家的因笑道：『只怕里面传饭。再闲了，出来瞧侄儿罢。』他嫂子因向抽屉内取了一个纸包儿出来，拿在手内，送了柳家的出来，至墙角边，递与柳家的，（都有小小猫儿腻。）又笑道：『这是你哥哥昨日在门上该班儿，谁知这五日的班儿，一个外财没发，只有昨日有广东的官儿来拜，送了上头两小篓子茯苓霜，余外给了门上人一篓作门礼，你哥哥分了这些。（门官厉害，雁过拔毛。）昨儿晚上，我打开看了看，怪俊，雪白的。说拿人奶和了，每日早起吃一钟，最补人的。没人奶就用牛奶；再不得就是滚白水也好。我们想着正是外甥女儿吃得的，上半天原打发小丫头子送了家去，他说锁着门，连外甥女儿也进去了。本来我要瞧瞧他去，给他带了去的，又想着主子们不在家，各处严紧，我又没什么差使，跑什么？况且这两日风闻得里头家反作乱的，倘或沾带了，倒值多了。姑妈来的正好，亲自带去罢。』

柳氏道了生受，作别回来。刚走到角门前，只见一个小么儿笑道：『你老人家那里去了？里头三次两趟叫人传呢，叫我们三四个人各处都找到了。你老人家从那里来了？这条路又不是家去的路，我倒要疑心起来了。』（可以说是无巧不成书，也可以说纸包不住火，早晚要出事。）那柳家的笑道：『好小猴儿崽子！你也和我胡说起来了！回来问你。』

要知端的，下回分解。

过年、祭祖、元宵才过，大观园里已是矛盾重重，危机四伏。赵姨娘大打出手，芳官泼闹一场，柳五儿走芳官的门子，柳家的左拉右扯，夏婆子煽风点火，艾官举报又被小蝉掌握。你争我夺，你嫉我妒，加上此前的春燕娘的抗争与丑态，承包后的新矛盾……大观园无宁日矣。

内乱是衰败的姊妹，互为原因，互为结果。

混乱衍生混乱，猫腻生长猫腻，虽然低俗恶劣，竟比少爷小姐们的生活『充实』些。看来为生存而混战、钻营、辛苦，比活得好好的却无事可做好一些。